DU MÊME AUTEUR

LE SILENCE DE GABRIELLE, Arléa, 1988.

HORS LES MURS, Arléa, 1990.

LES HAUTS-FONDS, Gallimard, 1993.

LATIFUNDO, Denoël, 1997.

LA LUMIÈRE DE NECKLAND, Denoël, 1999.

LA BIBLIOTHÉCAIRE, Arléa, 2006.

CE QUE DIT LILI, Arléa, 2007.

LES BELLES ANNÉES

Sophie Avon

LES BELLES ANNÉES

ROMAN

MERCVRE DE FRANCE

Pour Corinne

« Aux maigres orphelins séchant comme
des fleurs. »

BAUDELAIRE
Les Fleurs du mal

1

Lucile et Grégoire
(1980)

Mes parents m'avaient accompagné, ils y tenaient. J'étais majeur pourtant, j'avais eu dix-huit ans en juin. Mais ils voulaient « m'installer » comme ils disaient. J'aurais préféré qu'ils soient là pour ma rentrée en CM2, quand j'avais dix ans et que ma petite sœur, elle, entrait en préparatoire dans une école de filles à côté de la mienne. Ils me l'avaient confiée comme si le fait que son établissement jouxte le mien justifiait qu'ils s'en lavent les mains. Or je ne l'avais pas trouvée, moi, l'école de Lucile. On avait fini accrochés l'un à l'autre dans la cour des grands, tétanisés face à des dizaines de gosses en furie. Ma petite sœur m'avait glissé, c'est bizarre, tu as vu, il n'y a que des garçons — et je ne répondais pas parce qu'elle avait raison.

Quand la cloche avait sonné, nous étions restés plantés près d'un marronnier dont l'écorce était recouverte de minuscules entailles de canif. En quelques minutes, la cour s'était vidée, et nous devions nous rendre à l'évidence : nous étions seuls au monde. Ma petite sœur était au bord des larmes mais elle ne pipait mot. Au bout d'un moment, je lui avais saisi la main, on va rentrer à la maison, j'avais dit.

13

Sur la route, un vieil homme s'était mis en tête de nous accompagner. Il avait un accent du Sud à couper au couteau et au bout d'un moment, Lucile m'avait demandé, il est étranger, le monsieur ?

Le monsieur avait ri.

— Mais non, je suis né ici ! Et mes parents aussi et mes grands-parents aussi sont nés ici !

— Nous non, avais-je dit précipitamment pour excuser ma sœur.

— Oui, je sais, vous êtes les nouveaux, les petits Zeller, c'est ça ?

— C'est ça monsieur.

Il portait une casquette, des gros souliers à lacets et un sac en bandoulière. Il avait l'air bien renseigné, mais il y avait peu de chance qu'il connaisse l'école de ma sœur. Le ciel était gris et la lumière peinait à éclairer le feuillage des arbres, néanmoins c'était le matin, on ne pouvait pas se tromper là-dessus, et rien n'était effrayant sur cette route qui reliait les bourgs entre eux, à part qu'on n'avait pas trouvé l'école de Lucile et que les parents seraient furieux. Le vieux nous avait conduits jusqu'au pas de la porte de chez nous. Il avait attendu qu'on entre pour s'en aller. Les parents n'étaient pas encore partis travailler. Ils avaient l'air tout décontenancés de nous voir là, devant eux, comme si nous étions les fantômes de leurs enfants. Ils nous contemplaient de la tête aux pieds, bouche ouverte, et moi j'avais honte d'avoir failli. J'avais envie de crier : mais je ne suis pas si grand vous savez ! et elle, regardez-la, elle est toute petite !

Dans la voiture qui nous emmenait jusqu'à Paris, j'ai

remâché inexplicablement cette histoire. Lucile était blottie à l'arrière de la R16, les yeux dans un roman, pieds nus, recroquevillée de façon compliquée mais, pour elle, la position allait de soi. Elle avait un pied en l'air, collé à la vitre, l'autre replié sous une de ses fesses, l'épaule contre la portière, le visage vers l'avant et le cou étrangement ployé au-dessus de son livre qui tenait en équilibre sur son genou.

Je n'ai pas pu m'empêcher de passer mon doigt sur sa joue.

Pour moi, elle n'avait pas changé. C'était toujours la même petite fille aux cheveux blonds, le même visage triangulaire et doux, dont la peau, par endroits, était si fine qu'on en devinait les veines bleues. Elle avait grandi pourtant, depuis son CP et notre arrivée à Montpellier. Elle avait seize ans, des seins ronds et durs, des cuisses musclées et des mains blanches sur lesquelles brillaient des anneaux de toutes les couleurs. Mais il m'arrivait de penser que son corps s'était développé par miracle, que sa vie était une anomalie et qu'elle ne ferait pas de vieux os parce qu'elle était trop vulnérable, trop délicate. C'étaient des idées comme ça, des idées de gosse qui avaient commencé de me préoccuper lorsqu'elle avait eu sa typhoïde, et depuis je ne m'en étais jamais débarrassé.

J'ai fermé les yeux tandis que mon père s'évertuait à chercher un endroit pour s'arrêter. On avait roulé à peine deux heures, dont une hors de l'autoroute, mais il était comme ça mon père, flâneur, incapable de s'en tenir à un programme précis. L'oncle Jules avait beau nous attendre dans la soirée, notre horaire d'arrivée ne constituait en rien un motif de précipitation. Il y avait une odeur de blé et de

15

beurre frais dans la voiture, à cause des biscuits que grignotait Lucile, et bien que mes parents lui aient répété trois fois qu'elle allait se couper l'appétit. Mais dès qu'elle lâchait le paquet de petits-beurre, sa main retombait dessus. Elle annonçait alors à haute voix : c'est le dernier, et encore : cette fois, c'est vraiment le dernier, et tout le monde savait qu'elle finirait par engloutir la boîte. Peu à peu, le parfum suri du coffre a repris le dessus. Ma mère y avait entreposé à mon intention de l'huile d'olive, du safran, du curcuma et des tomates confites — il y avait là de quoi ouvrir tout un rayon de condiments. Tu seras bien content, m'avait-elle dit. J'avais renoncé à la contredire.

— Et si on s'arrêtait là ? a proposé mon père.

Il a mis son clignotant, bifurqué aussitôt sur une petite route de gravier bordée de chênes et de mûriers. Le soleil de septembre réchauffait la terre dont je me séparais en silence. Je n'étais pas pressé moi non plus, je voulais prendre mon temps pour faire mes adieux. Mon calme rassurait mon entourage. Il était feint pourtant, car en moi bouillonnaient des rêves dont personne n'avait idée, à des lieues de ce coin où rien ne pouvait arriver, où ce qui se passait n'était pas la vraie vie. J'aimais Montpellier mais je partais sans regrets, sans la moindre appréhension, c'était si exaltant de monter au front, de tout laisser derrière soi. On ne t'a jamais empêché de faire ce que tu voulais, plaidait ma mère quand je lui avais fait part de ma volonté, et de sortir aussi quand tu voulais, et de faire du théâtre et même le conservatoire ! JAMAIS, on ne t'a JAMAIS rien refusé…

— Mais c'était le conservatoire de Montpellier, maman, je répondais.

— Et alors ?

Alors je me taisais. Son accent m'écorchait les oreilles. J'avais mis un an à perdre le mien. Et plus de quatre mois à convaincre mon père que je devais partir. La première fois que je m'étais confié à lui, il m'avait écouté gravement. Puis il s'était tourné vers sa femme, et il avait hoché la tête doucement, et j'avais été étonné de produire cet effet, ce long silence qui ressemblait déjà à une reddition. Ils n'avaient pas été de ces parents qui ne veulent rien savoir, qui imposent de longues études après le bac et menacent de couper les vivres en cas d'école buissonnière. Ils avaient juste pesé mes arguments, évalué ma volonté, pris la mesure de ma détermination. Pour le reste, ils n'avaient pas entravé mes pas, ils étaient même venus me voir le soir du concours et ils s'étaient montrés fiers de moi. Ils avaient fini par admettre que je voulais davantage. Je ne voulais pas la gloire, la célébrité ou je ne sais quelle réussite spectaculaire. Je voulais juste autre chose que cette existence à deux pas de l'enclos, les mêmes visages qu'on croise aux carrefours, les éternels rendez-vous place de la Comédie, les perspectives que le temps amenuise.

Cela ne m'avait pas empêché d'être heureux au conservatoire de Montpellier. J'y avais connu, les soirs de répétition, cette impression de mener une vie plus riche, plus ardente que les autres à la lumière des projecteurs ; j'y avais croisé des professeurs vieillissants qui avaient été de mauvais acteurs mais qui se débrouillaient pour enseigner bien ce qui leur avait toujours manqué ; j'y avais découvert des auteurs que je n'aurais jamais lus sinon : Aristophane, Racine, Marivaux, Kleist, Musset, Beckett, Brecht, Thomas

Bernhard, Dubillard, Audiberti. Et tous, à un moment ou à un autre, ils m'avaient chuchoté à l'oreille : pars !

Mon père a quitté l'habitacle à peine le moteur coupé, s'est éloigné lentement vers les chênes, les yeux au ciel, contemplant les nuages, des cumulonimbus qui, d'après lui, menaçaient cette belle matinée de fin d'été. Ma mère s'est dirigée vers le coffre. Elle a sorti un panier sur lequel reposait une nappe colorée dont les motifs floraux, lorsque j'étais enfant, correspondaient à l'idée que je me faisais du jardin d'Éden. Elle avait toujours préparé les pique-niques familiaux avec soin, mais il me semblait que, pour cette fois, elle n'y mettait pas l'entrain habituel — je l'observais du coin de l'œil, svelte encore mais ralentie par une sorte de lassitude, se relevant plus lentement pour étaler la nappe et gardant le dos plié en allant d'un coin à l'autre du tissu.

Lucile s'était retranchée dans la voiture, la portière ouverte, une jambe au-dehors, les yeux sur son livre, le visage tourné vers le soleil. Elle n'avait pas faim bien sûr.

Je me suis déplacé vers l'arrière de la Renault, pour aider ma mère. Le panier pesait des tonnes, on était sûr de ne manquer de rien, et cette façon de prévoir toujours trop comme si on allait devoir survivre dans les buissons, cette façon-là me dégoûtait. J'étais un bon garçon, pourtant, et j'avais toujours été un fils attentionné, mais moi, Grégoire Zeller, je me découvrais un cœur de pierre et des ailes de géant.

Même mes meilleurs copains, ceux qui comme moi avaient fait le conservatoire de région et s'étaient juré de me suivre à Paris, ne savaient pas à quel point l'espace me manquait. Ils me croyaient raisonnable et bon parce que j'étais celui qui marquais le pas si quelqu'un du groupe traînait en arrière — cela leur suffisait. Après les cours, on allait à la bibliothèque de la fac de médecine. On était fascinés par le musée d'anatomie dont la vitrine tératologique exhibait des fœtus malformés, sages dans leurs bocaux comme des bébés endormis dans le liquide amniotique. Ils étaient morts depuis longtemps mais quelque chose en eux semblait survivre dans cette offrande éternelle et mélancolique. Quand on en avait assez de les contempler, on allait vers les moulages de sexes qui montraient tous les stades des maladies vénériennes. Cela nous faisait rire. Regarde ce qui t'attend, disait Malvezin à Ramus qui était son souffre-douleur. Vaut mieux que tu restes puceau ! Ramus ouvrait de grands yeux et rougissait. Il s'éloignait alors sans rien dire, et je le rattrapais sous un prétexte quelconque.

Ma mère a fini d'étaler la nappe. Elle avait posé à chaque coin un objet lourd — terrine d'agneau, panier, bouteille d'eau — parce que le vent qui soufflait par rafales défaisait son ouvrage à mesure qu'elle s'ingéniait à lisser mon jardin d'Éden. Lucile était toujours dans la voiture, sa jambe à l'extérieur, ses orteils jouant avec sa sandale. De là où j'étais, son petit mollet avait l'air d'une extension du pare-chocs. Mon père est revenu vers la R16, a mis le contact pour allumer l'autoradio. Il voulait écouter les informations, mais c'était trop tard et, de toute façon, depuis le matin, les mêmes bulletins se répétaient à propos de Solidarność. Moi, les grèves de Gdańsk et Lech Wałęsa, ça ne me passionnait pas, mais lui, il en était tout excité.

— Ces hommes unis qui cessent d'avoir peur du régime ! a-t-il lancé.

— Mmm, approuvait ma mère. À mon avis, elle s'en foutait elle aussi, mais elle tâchait de s'y intéresser pour faire plaisir à mon père.

Lucile était enfin apparue, son livre refermé.

— C'est magnifique ! s'est-elle écriée joyeusement.

— N'est-ce pas ? a renchéri mon père, sachant très bien qu'elle ne parlait pas de la Pologne. Il l'a attrapée au moment où elle allait s'asseoir à côté du panier. Il l'a soulevée, elle ne pesait rien, puis il l'a serrée contre lui en riant. Ils avaient les mêmes yeux clairs. Elle a réclamé : Oh s'il te plaît, hisse-moi comme avant, droite comme un I !

J'ai regardé ses petits poings se fermer dans les paumes de mon père. Ils étaient minuscules, et ses bras aussi étaient minuscules, mais raides, bandés, son corps tout entier solide, qui semblait dire : Regardez-moi, je suis inaltérable !

Puis mon père a grimacé et l'a lâchée. Elle a roulé par terre, rouge de plaisir. Alors, il s'est tourné vers moi :

— Tu viens Grégoire ? Tu viens te battre avec ton vieux père ?

— Papa, j'ai dit, je n'ai plus douze ans…

Mais il s'est rapproché dans la position d'un combattant, les deux mains à hauteur du visage, les genoux fléchis.

— Arrête, j'ai rigolé.

— Tue-le ! Tue-le ! a hurlé Lucile.

Ma mère s'était allongée au soleil après avoir aligné les sandwichs dont les dimensions étaient rigoureusement semblables. L'ombre d'une branche dessinait sur son front une mèche qui, au gré du vent, descendait en monocle sur son œil.

Mon père m'a saisi par le cou et m'a entraîné dans sa

chute. Il m'avait fait mal, je me suis relevé, agacé, et lui ai fait face. Il a bondi sur ses jambes, a repris sa position de boxeur, et m'a attaqué d'un direct dans l'abdomen. Il ne faisait pas semblant.

— Ah ah, coyote, tu fais moins le malin ! a lancé Lucile.

Mon père me regardait fixement en sautillant sur place.

— J'ai pas envie de me battre, papa ! j'ai dit tout en me mettant en position.

J'avais fait ça enfant, des dizaines de fois, quand je suivais mon père à son entraînement et qu'il me chaussait et me gantait de force. Ça te servira un jour, crois-moi, disait-il. Je renâclais mais j'y allais. J'y avais pris goût peu à peu, tapant de plus en plus fort, affrontant des adversaires à ma hauteur et, parfois, je prenais le dessus et cela m'emplissait d'une fierté si grande qu'elle me tenait éveillé toute la nuit.

Il s'est mis à frapper dans le vide en se rapprochant de moi.

— Allez mon grand, allez, juste pour s'échauffer…

J'ai esquivé une droite, puis un crochet, mais il n'y allait pas de main morte alors qu'on n'avait pas nos gants.

Ma mère a ouvert une paupière.

— J'ai l'impression que ça se couvre, a-t-elle dit, et les sandwichs sont prêts…

Lucile mordait dans le pain quand mon père m'a atteint en plein nez, un coup modéré qui m'a pourtant mis les larmes aux yeux. Il s'apprêtait à enchaîner quand j'ai vu sa tête de héros fatigué, et la rage m'a saisi, et j'ai cogné sans réfléchir, un crochet suivi d'un uppercut du tonnerre qui l'a fait vaciller. Il a reculé de deux pas, les bras écartés, ébahi et désarmé. Puis il s'est effondré et ma mère a jailli

21

comme un ressort. Lucile, elle, avait la bouche pleine, mais elle s'est arrêtée de mâcher. J'ai murmuré « papa » et me suis précipité vers lui. Il était étendu, inanimé, les lèvres entrouvertes.

— Il est mort ? a questionné Lucile.

Ma mère avait déjà la main sur son front, implorant, chéri, chéri ?!! Et les premières gouttes de pluie ont commencé à tomber. Alors, mon père a ouvert les yeux et s'est redressé doucement. Ils nous a regardés avec un air vide et triste et, d'un coup, il a crié : Mais vous ne voyez pas qu'il flotte ?!!

— Tu vas bien, papa ? j'ai demandé en mettant ma main sur son épaule.

Il s'est dégagé sans me répondre et a commencé à remplir le panier — les mêmes gestes que ma mère avait accomplis mais en sens inverse. La pluie s'était renforcée, elle tombait à présent drue et abondante. Le temps qu'on remballe les victuailles, secoue la nappe et remonte dans la voiture, nous étions trempés.

Ma mère gardait les sandwichs sur ses genoux, enveloppés à la va-vite dans un torchon. Elle a entrouvert le tissu et contemplé les croûtes que la pluie avait eu le temps de ramollir. Derrière le volant, mon père fixait le pare-brise sur lequel l'eau ruisselait. Il lissait ses cheveux mouillés, et reniflait. Aucun de nous n'osait prendre la parole, bien que Lucile, à un moment, ait pris son élan, ouvert la bouche, puis tournant ses grands yeux étonnés vers moi, renoncé à articuler un mot. J'aurais bien dit quelque chose aussi, mais rompre le silence, à ce moment-là, au moment où mon père semblait flotter dans un monde secret, c'était au-dessus de mes forces. Finalement, sans tourner le visage vers ma mère, le regard obstinément posé sur le pare-brise, il a dit : On ne mange pas ?

Elle a fait alors la distribution des sandwichs, celui au fromage pour Lucile qui n'avalait plus de viande depuis qu'elle avait vu un reportage sur un abattoir, le jambon gruyère pour moi, et les jambon beurre pour eux. Nous avons commencé à mastiquer. Le bruit de la pluie prenait une importance considérable, presque inhumaine.

— Il y a des œufs durs aussi, a murmuré ma mère. Mais ils sont dans le panier… a-t-elle ajouté.

Mon père l'a enfin regardée.

— Dans le coffre ?

— Oui, a-t-elle dit, et il a ouvert la portière, et il est sorti lentement comme si l'averse ne pouvait plus l'atteindre.

— Qu'est-ce qu'il a, papa ? a demandé Lucile lorsqu'elle a vu qu'il était à l'arrière de la voiture.

— Mais rien, a répondu ma mère agacée. Qu'est-ce qu'il t'a pris aussi ? m'a-t-elle jeté avec sévérité.

Mon père est revenu avant que je me défende. Il a posé le panier et s'est assis. Cette fois, il avait l'air d'avoir piqué une tête dans l'eau.

— Prends le torchon au moins, a proposé ma mère timidement.

Il s'en est saisi, a essuyé son visage et ses cheveux, puis il a dit je vais dormir un peu. Il a posé son front sur le volant, et nous sommes restés immobiles à guetter sa respiration. La pluie avait redoublé si c'était encore possible, esquivant le paysage et chassant la lumière. On aurait pu être le soir.

Je pensais à l'oncle Jules que je connaissais mal et qui avait accepté de m'héberger dans son vieil appartement du XVIIᵉ arrondissement, je songeais à la vie qui m'attendait, à ce que je laissais derrière moi, aux objets auxquels j'avais dit adieu. J'avais passé le dernier week-end à prendre congé de mon enfance. Seul, dans ma chambre, j'avais quitté celui que j'étais, sachant que je ne reverrais plus de la même façon mes objets les plus familiers, ma collection de vieilles voitures, le bureau anglais sur lequel j'avais fait mes devoirs de la sixième à la terminale, la lampe où j'avais fait griller tant de mouches après leur avoir coupé les ailes, le tapis vert pomme où je jouais au radeau en perdition avec Lucile, le globe terrestre qu'on m'avait offert pour mes neuf ans, la fronde que je m'étais fabriquée moi-même et avec laquelle je tirais sur les oiseaux… À six heures du soir, ma sœur m'avait trouvé statufié et rêveur — elle m'avait sauté au cou en disant : Tu vas me manquer, promets-moi de revenir souvent ! Nous étions restés dans les bras l'un de l'autre jusqu'au dîner, j'entendais son cœur battre et je songeais : elle va bien, je l'enterrerai sûrement, je les enterrerai tous, mais elle va bien et ma vie commence.

— On y va ! a décrété mon père en se redressant. Il a mis le contact.

La pluie était devenue régulière, elle s'était fondue au décor, et le paysage réapparaissait, solide, rassurant. Dans la voiture, ça sentait le linge mouillé et le jambon. Lucile a commencé à fredonner une vieille chanson de la Légion, et mon père a allumé la radio pour qu'elle se taise. Mais elle a forcé la voix et lui, il a augmenté le son. Voilà à quoi se réduit ma famille, je me disais, des idiots qui sentent le bouc...

Il s'est alors passé une chose inattendue : ma mère est tombée de son siège. Elle est littéralement tombée, basculant sur la chaussée comme un vulgaire caillou à cause de sa portière mal fermée. Elle n'avait pas crié, ne s'était pas accrochée, n'avait, semble-t-il, opposé aucune résistance, non, elle avait juste laissé la place vide et, le temps que mon père réalise qu'elle n'était plus là, qu'il freine et arrête le véhicule, nous avions abandonné derrière nous un corps que la distance rendait insignifiant. Dieu merci, on ne roulait pas vite et ma mère avait atterri dans l'herbe. On l'a vue se relever tout de suite. Puis on l'a vue rire quand nous avons fait marche arrière, nos faces consternées plaquées contre la vitre. Arrivé à sa hauteur, mon père est descendu de voiture et s'est avancé vers elle en l'inspectant des pieds à la tête. Elle riait toujours, confuse et sonnée, des écorchures aux joues, au front et sur le bras droit. Il a eu alors ce geste que je n'oublierai jamais — de lui prendre la main comme s'il voulait y poser ses lèvres, et après en avoir évalué la brûlure, d'en caresser la surface. Avec la pluie, il rinçait le sang qui perlait sur le bras de sa femme. Elle le regardait faire, la main abandonnée dans la sienne, et murmurait, ça va, je n'ai rien... Il l'a prise contre lui et l'a étreinte en secouant la tête comme si elle avait fait une bêtise mais qu'il ne lui en voulait pas.

Il faisait nuit noire quand nous sommes arrivés à Paris au terme d'un voyage où nous avions mis notre vigilance en alerte pour faire du trajet restant un épisode calme et joyeux. L'oncle Jules ne nous avait pas attendus pour dîner,

25

mais il s'était soucié de nous garder au chaud une daube qu'il avait à peine entamée. Le visage de ma mère était couvert d'égratignures, mon père avait un œil au beurre noir et Lucile et moi sentions le chien mouillé. Nos chaussures étaient sales, nos vêtements humides, nos mines effarées. L'oncle Jules nous a laissés nous installer, après quoi il a demandé : Mais que vous est-il arrivé ?

C'était un petit homme affable et délicat à la chevelure abondante. Il avait été pianiste, jouait encore parfois, le dimanche après-midi, pour un cercle d'amis de son âge. Voyant que mes parents se regardaient en hésitant, qu'ils paraissaient empêtrés dans leurs explications et que, visiblement, sa question les embarrassait, il a offert de se mettre au piano. Un concert, si modeste fût-il, était sans doute la dernière chose dont nous ayons besoin en cet instant, mais sa proposition nous a paru l'événement le plus sensé de la journée. Alors, nous l'avons écouté attaquer un Prélude de Debussy pendant que nous dînions, prenant garde à ne pas faire de bruit avec nos couverts, à nous tenir correctement, à ne pas tomber des chaises, et à rassasier nos appétits sans faire injure à sa musique.

2

Sonia

(1981)

Au premier tour des présidentielles, la mère de Jan Belet avait dit à Sonia Pinget : « Au moins, avec Giscard, on sait où on va… » Au second tour, quand le visage de Mitterrand est apparu en strates successives sur les écrans de nos télés, Sonia a pensé à Mme Belet. François Mitterrand avait battu Valéry Giscard d'Estaing avec 51,76 % des voix. C'était une victoire historique. La plupart des anciens pensaient qu'avec la gauche surgirait le chaos, que ce serait la déroute — une issue néfaste, en tout état de cause, quand on avait des économies de côté. Sonia, elle, n'avait rien à perdre. Pas peur du désordre non plus, sa vie était si précaire. Et puis ce monde était trop vieux, il fallait le ranimer, lui pincer les joues, lui rendre ses couleurs. Elle n'avait pas voté mais le cœur y était, et quand le portrait de Mitterrand s'était matérialisé, elle avait éprouvé une excitation sourde.

Après, quand Jan l'a appelée pour aller à la Bastille, elle a refusé.

Elle détestait les meutes, les fêtes, tout ce qui rassemble les foules. Elle préférait rester chez elle, dans son minuscule studio, les yeux sur la télévision où elle lorgnait de mauvais feuilletons mais s'entêtait à mépriser *Dallas*. À dix-neuf ans, elle vivait à crédit. Célibataire, persuadée que l'amour viendrait en une fois ou qu'il ne viendrait pas. Que le bonheur était un concept de retraité. Que souffrir à condition d'avoir aimé à en mourir avait plus de panache. À part Jan Belet et Alexandre Richard, elle n'avait pas d'amis. Sauf peut-être Corinne, une jolie brune qu'elle avait rencontrée à son cours de théâtre et qui s'était entichée d'elle le jour où, débarquant au Saint-Louis, un café juste à côté de l'école, Sonia était allée vers elle pour lui donner l'adresse d'un casting qui cherchait des filles dans son genre. Corinne avait tenté sa chance et avait été prise. C'était un rôle minuscule mais elle le devait à Sonia. Pour la remercier, elle avait invité sa nouvelle amie à déjeuner, puis elle lui avait proposé de venir prendre un verre chez elle, à l'angle de la rue de Rivoli et de la rue Pavée.

Son appartement était superbe avec des plafonds hauts et blancs, une mezzanine lumineuse et une salle de bains sans cloisons dont la baignoire sabot trônait le long d'une vaste fenêtre d'atelier. Corinne avait entreposé des jacinthes et des hortensias sur le bord de porcelaine. Elle trouvait pratique de pouvoir arroser ses plantes quand elle prenait son bain. En bas, la tapisserie venait de chez Laura Ashley, les meubles étaient anciens. Tout était clair et élégant. Sonia avait noté la délicatesse des détails et l'importance du ficus qui s'épanouissait dans le salon, au point que les branches du haut touchaient le plafond. Elle avait aussi noté le bruit de la ville, une clameur compacte, à portée de main, comme si une existence pleine attendait de vous emporter sur le pas de la porte.

Corinne avait raconté sa vie à Sonia qui aimait bien écouter les autres, elle devait être douée pour ça puisque les gens lui parlaient spontanément.

Elle venait de s'endormir, son livre ouvert sur les cuisses, la télé toujours allumée, lorsque son téléphone a sonné. C'était Corinne, justement. Corinne avait organisé une fiesta chez elle, un rendez-vous impromptu, histoire de marquer le coup. Elle voulait que son amie vienne, elle attendait des gens du cours de théâtre qui arrivaient de la Bastille — et d'autres aussi, de vieilles connaissances qui avaient choisi des études plus orthodoxes que le métier d'acteur. Sonia a décliné, tu sais, c'est compliqué... Sa hanche la faisait de nouveau souffrir depuis deux semaines, une douleur aiguë qui l'obligeait à boitiller. Corinne a insisté. Sonia s'est laissé faire, sa hanche n'était qu'un prétexte en vérité.

Il était vingt-trois heures et elle avait tout Paris à traverser. Prends un taxi, lui avait dit Corinne, mais elle s'était engouffrée dans le métro, faute d'argent. Corinne ne pouvait pas comprendre ce que c'était de vivre sans argent ; ses parents lui donnaient tout ce dont elle avait besoin, sans parler de ce loft paradisiaque qu'ils lui avaient acheté dans le Marais.

Sonia était arrivée la dernière chez Corinne. Des jeunes gens éméchés décapsulaient des bières parce qu'il n'y avait plus de champagne à sabler. Sonia s'est excusée, je n'ai rien apporté. Mais Corinne l'a entraînée au milieu du salon, un beau sourire aux lèvres, aimable, mondaine.

Tout le monde parlait de Mitterrand. La gauche au pouvoir, c'était magnifique. Sonia approuvait mais quelque chose en elle restait étranger au mouvement général. Elle n'avait pas été élevée dans le culte de la politique, n'avait aucun sens de la collectivité, n'était jamais sûre que le plus grand nombre eût raison. Elle se méfiait des slogans et des dogmes. Elle voulait juste monter sur scène et dire des textes écrits par d'autres parce qu'on lui avait appris l'amour des mots. Elle ne croyait qu'en cela, les auteurs, la langue, la pensée inscrite dans le verbe. Elle avait manifesté contre la loi Debré, en 1974, c'était son seul acte militant — elle avait alors douze ans et elle s'était donné du mal pour expliquer à son père en quoi cette loi était injuste. Est-ce que cela comptait ?

— Ça va tout changer, lance joyeusement un garçon aux cheveux abondants et très raides qui se fait appeler Pedro.

Sonia n'écoute pas ce qu'il dit, elle est hypnotisée par le volume de ses cheveux et ses lunettes en écaille. Il ne lui plaît pas mais il l'intrigue. Il s'excite brusquement sur *Paradis* et sur la revue *Tel Quel* — pour elle, c'est comme s'il parlait en chinois. Sonia regrette de ne pas s'être maquillée. Elle prête l'oreille à la péroraison du jeune homme mais il n'y a pas moyen de trouver une brèche dans son flot de paroles. Pas une phrase où Sonia puisse prendre pied, trouver la bonne réplique. Et puis elle n'a aucune idée des livres qu'il mentionne, soi-disant des chefs-d'œuvre. Elle a lu Nabokov, Kafka, Dostoïevski, Norman Mailer, mais ceux qu'il cite, elle ne les a jamais ouverts. Au quatrième verre de bière, elle monte vers la mezzanine à la recherche des toilettes. Son reflet dans la psyché qui surplombe l'escalier l'effraie. Elle ressemble à une mendiante.

Cheveux flous, ramenés sur le sommet du crâne par une tresse vieille de trois jours, regard opaque, veste en daim défraîchie. Depuis l'étage, elle peut apercevoir Pedro, parlant toujours et rajustant sans cesse ses lunettes sur son nez. Elle a envie d'enjamber la balustrade et de se laisser tomber dans le vide. Avec un peu de chance, elle échouera dans les bras du jeune homme qui se taira enfin. Ou bien alors, sa chute le tuera — il y aura du sang, de la stupeur, des cris, une petite tragédie bourgeoise pour inaugurer le mandat de la gauche.

Finalement, elle s'enferme aux toilettes, scrute encore ses traits dans le miroir qui surplombe le lavabo. Elle se trouve livide, pire, transparente. Où est passé l'éclat de son enfance ? Quelque chose de triste et de grossier a pris le dessus sur la finesse de l'expression. Elle n'a plus envie de descendre parmi les invités, traîne le long de la mezzanine, caresse la porcelaine de la baignoire, repère le rouge à lèvres couleur violine de Corinne sur une petite coiffeuse dont le dessus est en marqueterie, l'utilise pour raviver son teint et colorer ses lèvres. Je vais me saouler, pense-t-elle en redescendant.

Pedro s'est enfin tu. Il a un verre à la main et va de convive en convive. Elle se dirige vers lui, lui demande à boire. Il la sert en souriant puis engage la conversation. Elle lui dit qu'elle est comédienne, qu'elle prend des cours de théâtre, qu'elle aime la langue. Il écoute attentivement. Peu à peu, ils s'isolent sur un canapé de velours, près de la fenêtre ouverte. La nuit est tiède et fébrile. Sonia sent l'euphorie la gagner, une simple et absolue sensation de pouvoir.

— Et tes parents ? Ils vivent dans le Sud comme ceux de Corinne ? demande Pedro.

— Dans le Sud-Ouest, je suis de Bordeaux. Enfin, j'y ai passé mon enfance.

— Comme Philippe Sollers, dit-il.

Elle déteste Bordeaux, ses façades noires, ses banlieues mornes, la monotonie de ses rues où les échoppes s'alignent, toutes identiques et pareillement muettes.

— Tu y retournes souvent ? demande Pedro.

Elle change de sujet. Ses parents sont en train de divorcer, ils désossent la maison familiale. La dernière fois qu'elle est allée les voir, elle a trouvé un champ de bataille et des cartons entassés, étiquetés avec soin. Sa sœur cadette ne rentrait que pour dormir. Elle lui a dit qu'elle laissait les parents s'entre-tuer. Sonia s'est enfermée dans sa chambre, miraculeusement intacte. Elle a dit adieu à son enfance. Sa vie était désormais à Paris.

— Tu as voté Mitterrand, toi ? questionne Sonia.

— Évidemment, réplique Pedro en la toisant comme si elle était une espèce en voie de disparition. Pourquoi ? Pas toi ?

Elle s'apprête à répondre quelque chose de très emberlificoté lorsque Christophe, un beau brun aux cheveux bouclés, prend sa guitare et se met à fredonner des chansons de Brassens. Corinne se lève et chante avec lui d'une voix aiguë qui écorche les oreilles. Elle a une façon de s'exhiber que Sonia trouve indécente, mais tout le monde a l'air sous le charme. Tout le monde la trouve irrésistible — même un acteur connu dont Corinne n'a pas voulu révéler le nom mais qui couche avec elle sans pour autant lui avoir jamais permis de décrocher un rôle.

Elle y arrivera, pense soudain Sonia en voyant son amie si sûre de sa beauté. Pedro aussi est fasciné. Peu à peu, le groupe s'est assis en rond autour de la jeune fille et la contemple. Seule Sonia demeure à l'écart sur le canapé que Pedro a finalement déserté. Elle boit beaucoup et observe la petite assemblée parce que chaque fois que ses yeux tombent sur Corinne, elle sent son amitié fondre au profit d'un ressentiment obscur. Elle lui en veut d'être à ce point gâtée par la vie. D'avoir des parents qui s'aiment toujours, une maison spacieuse qui lui ouvre les bras quand elle revient, une carrière de comédienne prometteuse, un amant riche et célèbre. Par-dessus le marché, elle est amicale et loyale — elle a approché Sonia avec gentillesse, lui a ouvert son logis et son cœur, elle lui a même proposé de l'accompagner à plusieurs auditions pour qu'elle ait sa chance elle aussi. Mais rien n'a marché pour Sonia. Aucune porte ne s'ouvre jamais, ce sont d'éternels refus. On la trouve sans intérêt, les caméras n'aiment pas son visage. Une directrice de casting lui a suggéré un jour d'avoir recours à la chirurgie esthétique parce que ses traits étaient asymétriques. Sonia a encaissé la remarque sans répliquer. Elle s'est regardée dans le miroir, ne se trouvant aucun défaut particulier sinon qu'il lui manque l'essentiel, cette lumière intérieure qu'on appelle la photogénie. À quoi bon s'acharner dans ce cas ?

Brave petit soldat, Sonia ne se décourage pas. Elle continue d'y croire, et quand elle est sur scène, quand elle joue, elle sent monter en elle cette jubilation qui un jour a décidé de sa vocation. Elle n'est pas toujours à sa place, il lui arrive d'être mauvaise, mais elle ne connaît rien de plus beau que ce dédoublement magique. Une fois, elle a perçu que son interprétation était juste au point de capter l'attention de tous, et elle demeurait si concentrée, dans un tel état de grâce et de solidité mêlées, que le regard des autres la grandissait sans lui faire lâcher prise. Quand sa scène a été finie, tout le cours l'a applaudie. Elle en avait les larmes aux yeux. Alors oui, elle continue d'y croire et d'honorer ses rendez-vous face à des assistants à la mise en scène qui la toisent et ne la rappellent jamais. Elle a quand même réussi à se faire engager au théâtre de Villejuif, dans un spectacle pour enfants, *La Grande Main de Faragaladoum*, où, malgré ses cheveux bouclés et sa silhouette d'enfant, on lui a donné le rôle de la marâtre. C'est Marion Barthélemy, trop en chair et dénuée de grâce qui a eu le rôle de la princesse. Ç'aurait dû être toi, la princesse, lui a glissé la maquilleuse le soir de la couturière. D'une certaine façon, elle s'est sentie consolée — mais de quoi ? Elle n'avait même pas envisagé que le metteur en scène l'ait écartée sciemment du beau rôle. Elle a haussé les épaules, magnanime, bah, tu sais, pour ce que ça change…

Pendant trois semaines, elle est allée aux répétitions sans rechigner, le ventre vide et le cœur gros. Le 31 mars, pour la première, elle a interprété son rôle devant un parterre d'enfants qui avaient l'air de gober que la princesse ressemble à une matrone. La veille, Ronald Reagan s'était fait tirer dessus. Six balles, dont l'une avait atteint le Président à peine élu en pleine poitrine. Il avait néanmoins survécu, on disait qu'il avait eu plus de chance que Kennedy.

— Quel bouffon ! avait lancé Marion Barthélemy avant

d'entrer en scène. Sonia ne savait pas si elle parlait de Reagan, de son agresseur ou du metteur en scène qui venait de raconter à ses comédiens que l'Amérique était malade de ses héros au point d'avoir mené un acteur de seconde zone à la magistrature suprême.

— Tu chantes avec moi ?

Corinne se tient devant Sonia qui tout à coup a envie d'être ailleurs. Mais la soirée bascule — la jeune fille est prise dans un mouvement qui la submerge et l'empêche de rentrer chez elle. Corinne n'a pas insisté, elle est de nouveau plantée devant Christophe qui dévide son répertoire sans faiblir. L'assemblée s'est disloquée — certains encore assis, vautrés sur les tapis, d'autres debout, qui dansent et chantent à tue-tête. Pedro s'approche de Sonia et, brusquement, il l'embrasse. Sa langue est acide mais ses lèvres moelleuses, ils n'en finissent pas de mélanger leurs salives.

— Christophe m'emmène avec lui à Avignon ! annonce joyeusement Corinne.

Elle a décidé d'aller voir ses parents avant l'été, de profiter des premiers beaux jours qui sont si doux, si réparateurs à cette époque de l'année. Sonia arrête d'embrasser Pedro et contemple son amie.

— Comme ça, je passe la semaine là-bas et je reviens à temps pour mon audition...

Elle est toute contente, éméchée sans doute, mais heureuse car la vie, décidément, n'est pas si contrariante quand on la prend avec souplesse. Sonia lui rend son sourire, acquiesce sans lâcher le bras de Pedro qui de son autre main lui caresse la nuque.

Le petit jour est déjà là, les cadavres de bouteilles ont été alignés devant la porte par une bonne âme qui a préféré s'éclipser plutôt que de dormir étendue entre deux corps épuisés. Sonia est dans les bras de Pedro, la tête renversée en arrière, heureuse. Pour rester éveillée et profiter de ce bonheur tout neuf, elle compte les feuilles du ficus dont elle aperçoit la cime à l'envers.

À sept heures, ils dorment tous. Corinne est allée s'allonger dans sa chambre, en haut. Quand Sonia sort de son sommeil, elle aperçoit le visage de Pedro à deux centimètres du sien. Il tient ses lunettes à la main, le bras amoureusement refermé sur elle. Il a la bouche ouverte, respire bruyamment, sans ronfler cependant, juste un souffle rauque que sa p itrine accompagne en se soulevant. Délicatement, elle s'extirpe de son étreinte, se lève, marche sur la pointe des pieds, escamote les corps, évite des pieds, des cuisses, des bras jetés de part et d'autre du visage — quelle confiance, pense-t-elle. Elle atteint l'escalier, monte jusqu'à la mezzanine sans faire grincer une marche. Corinne est plongée dans un bain, les yeux clos, reposant dans l'eau telle une Ophélie d'intérieur émergeant de ses plantes.

Elle a entendu son amie, lui tend une main mouillée que Sonia saisit sans savoir si elle doit la baiser ou seulement la serrer pour l'aider à sortir de la baignoire.

— Il va falloir réveiller tout le monde, je pars dans une demi-heure avec Christophe. Il doit être à Marseille ce soir…

Sonia songe que ce départ est précipité, que s'il ne tenait qu'à elle, elle resterait ici, que les parents ne méritent pas tant d'égards quand l'enfance est passée et qu'il n'en reste que des spectres. Mais elle ne dit rien, elle suggère seulement : laisse-moi tes clefs, je m'occupe de tout, de raccompagner les gens et de ranger. Ton appartement sera impeccable quand tu rentreras.

Corinne la regarde avec gratitude, tu ferais ça ?

— Oui, répond Sonia qui est fière de sa bonté.

Corinne s'agite dans le bain, l'eau clapote, elle se relève, met pied à terre sans pudeur, révélant sa nudité en pleine lumière, séchant son beau corps dans un grand drap de bain.

— Tu es un ange, lâche-t-elle en embrassant Sonia dont elle mouille les joues pâles. L'affaire est réglée en cinq minutes. Corinne a fait son baluchon, Christophe a émergé, rasé de près, et Sonia prend possession des lieux avec solennité. Une fois qu'ils sont partis, elle commence par ramasser les cendriers, slalome de nouveau entre les gisants, se livre à son rôle de maîtresse de maison avec une application dévote. En une heure, elle a remis de l'ordre, ouvert les fenêtres, fermé les sacs-poubelle. Pedro a fini par se réveiller, suivi de quelques autres qui réclament du café. Sonia n'en finit pas de montrer ses admirables capacités d'hôtesse. Elle a repéré la cafetière, le sucre, les tasses — apporte un plateau en acier où fument une dizaine de cafés. Les invités se frottent les yeux, boivent, allument une cigarette. Peu à peu, ils prennent la fuite doucement, semblables à des apparitions nocturnes chassées par le jour.

Seul Pedro reste. Sonia lui refait un café et s'approche de lui. Ils décident de s'attarder un peu dans l'appartement de Corinne, d'y passer la journée et pourquoi pas la nuit suivante ? En fin d'après-midi, ils écoutent la radio qui a consacré l'essentiel de son programme à l'élection de François Mitterrand. Ils apprennent aussi la mort de Bob Marley qui avait trente-six ans — et treize enfants reconnus dont le petit dernier doit naître dans quelques mois.

La nuit qui vient est étrange, comme un prolongement de cette journée inerte et douce où les jeunes gens ont passé leur temps à se prélasser, à boire du café et à faire l'amour. À deux heures dix, la sonnerie du téléphone les tire de la léthargie où ils ont sombré. Sonia se demande si elle doit répondre, puis elle se lève, descend. Elle frissonne à moitié nue, décroche, dit oui, puis reste sans voix. Aussitôt après, elle pousse un cri qui affole Pedro. Il se précipite, dévale l'escalier, prend la jeune femme dans ses bras, mais que se passe-t-il ? Elle répond en hurlant qu'ils ont eu un accident, que Christophe est dans le coma, que Corinne est morte. Elle répète, hurle : elle est morte !!!

Elle s'entend crier, voit les gros yeux épouvantés de Pedro, a l'impression d'être sortie de son corps, de ne plus pouvoir parler. Quelques minutes passent qui la transforment en un morceau de bois. Elle se laisse emmener par Pedro, elle ne sait où, elle le suit, agrippée à sa main.

Longtemps, de cet instant, elle n'a pas de souvenir, sinon d'avoir pensé, en décrochant le combiné, que ce téléphone orange est un gadget d'enfant gâté. Elle se rappelle aussi la mine navrée de Pedro, et puis plus rien, ni son départ, ni son sac bouclé à la va-vite, ni son voyage en train, ni même son arrivée à Avignon. Elle se souvient seulement de la douleur des parents, de la gentillesse qu'ils lui manifestent, de la façon dont la mère de Corinne répète qu'il ne reste rien de l'Alpine A 310 où sa fille a trouvé la mort — après quoi, il y a ce printemps ensoleillé où, à l'hôpital, elle attend que Christophe ouvre les yeux. Elle se souvient qu'elle lui dit, quelques jours après son réveil : Corinne est décédée. Il détourne le regard, fixe le ciel bleu en murmurant : ses parents doivent me haïr.

Jour après jour, elle s'occupe de lui, le console, le nourrit jusqu'à sa sortie de la Timone, en plein cœur du mois d'août, boitant encore, marchant comme un vieux et ne parlant plus jamais de Corinne. Certains soirs, quand Sonia va le voir chez lui, à Paris, il exhibe l'énorme cicatrice qui abîme son ventre. Un soir de septembre, il l'embrasse sur la bouche et elle le laisse faire. Le lendemain, elle décide de s'en aller, que cette vie n'est pas pour elle. Elle vend tout ce qu'elle a — si peu —, et part. Alors qu'elle aime le soleil, elle va se réfugier dans un pays froid, en plein nord de l'Europe. Personne ne s'étonne de son départ. D'ailleurs, elle n'a dit qu'à sa sœur qu'elle quittait Paris.

3

Sonia
(1982)

L'hiver avait été terrible, nous l'avions traversé pieds et poings gelés, sautillant sur place, pestant, fumant clope sur clope pour nous réchauffer — et tout à coup ce grand coup de chaleur nous rendait amnésiques : nous cherchions la fraîcheur. Gert avait ouvert la fenêtre de la chambre et celle du vaste salon pour faire un courant d'air. Il semblait content de lui. Je le regardais tandis qu'il débarrassait la table, torse nu. Ses yeux étaient d'un bleu irréel, doux et clair, et sa bouche charnue sous un nez busqué, imposant. Hélène était partie travailler, la veille c'était moi. On avait décidé c la en février, une fois elle, une fois moi, inutile d'être deux à souffrir dans le froid, pour attendre le client. On vendait les bijoux qu'on fabriquait — on enfilait les perles, on imaginait des motifs, on variait les formes, les couleurs, on rivalisait de créativité. Pendant qu'on créait notre stock, j'apprenais le hollandais. Hélène savait déjà, pour les avoir traversées, les épreuves qui m'attendaient. Elle me faisait mémoriser la conjugaison du verbe être et du verbe avoir. Je me familiarisais doucement avec les pronoms, les tournures de phrases, les mots les plus courants. Ce n'était pas simple cette langue, mais je l'aimais.

En ce beau jour de mai, Hélène était donc partie travailler. Gert paraissait étonnamment paisible, comme si, enfin délivré de sa femme, il pouvait donner la mesure de ce qu'il était, un jeune homme plein de promesses. Il allait et venait dans l'appartement. Je restais blottie dans le fauteuil en velours, le corps moite, hésitant à aller prendre ma douche car c'était plus fort que moi, je mettais des heures à me mettre en route le matin.

— Tu sais, Sonia, me disait Gert, Hélène est pire que toi, elle est si paresseuse...

Il enlevait les assiettes, rassemblait les couteaux, fermait les pots de chocolat et de beurre de cacahuètes. Il avait de belles épaules et une peau blanche sur laquelle la tension des muscles dessinait des ombres.

— Tu as maigri, non ? lui ai-je demandé.

— Je ne sais pas, tu trouves ?

J'ai fait une moue tout en disant, bon je vais me doucher. Il m'a regardée, un sourire à peine esquissé, comme si on faisait semblant d'être mariés, qu'Hélène n'existait pas. C'est du moins ce que je ressentais quand il allait comme ça, dans la maison, si content de lui, euphorique presque, débarrassant la table en sifflotant avec l'air de quelqu'un qui vient de s'installer avec celle qu'il aime et qui redécouvre le plaisir domestique.

Il n'y avait pas vraiment de salle de bains chez eux, c'était une cabine de douche dans laquelle on s'enfermait tout nu, avant de sortir une serviette autour de la taille. Pour le reste, il fallait se maquiller dans le couloir qui menait à la cuisine, devant un miroir rectangulaire où la lumière venait d'un seul côté. Gert, lui, se rasait au-dessus de l'évier, entre la cafetière qui était allumée à longueur de jour, et le frigo qui était toujours vide. On s'y faisait, on avait vingt ans. J'ai laissé couler longtemps l'eau sur moi.

Gert était dans la cuisine quand je suis sortie de la douche, je l'entendais faire la vaisselle. J'ai pris mes affaires pour aller m'habiller dans la chambre que je partageais avec Nigel. Il n'était pas là, sa grand-mère le gardait depuis deux jours. Gert a crié à travers la cloison, je reviens, je vais acheter des cigarettes !

Quand je suis revenue au salon, la table était propre, un vent frais circulait doucement d'est en ouest et j'entendais les oiseaux comme si le courant d'air les avait rassemblés à domicile. Je me suis postée devant le miroir pour mettre de la crème et du mascara. J'avais les cils longs et recourbés, des sourcils clairs que je n'épilais plus. Je me suis brossé les cheveux pour les attacher à cause de la chaleur. J'ai mis une goutte de parfum, *Eau jeune,* acheté en France six mois plus tôt. J'avais grossi mais c'était la première fois depuis longtemps que je me trouvais convenable. C'était la première fois depuis longtemps aussi que ma hanche ne me faisait pas souffrir et que je ne boitais plus. Gert est revenu très vite avec du tabac à rouler et des journaux. Il avait acheté *Paris Match* pour moi, c'était le seul journal français qu'il avait trouvé. Je me suis jetée dessus parce qu'il y avait plusieurs pages consacrées à Romy Schneider qui s'était suicidée quelques jours avant, c'était du moins ce que l'article suggérait. Son fils était mort un an avant, à l'âge de quatorze ans, on pouvait tout imaginer de sa souffrance.

Elle avait quarante-quatre ans. Le monde du cinéma pleurait sa plus belle actrice, Alain Delon surtout, qui parlait toujours d'elle comme de son grand amour perdu.

— J'ai les cheveux trop longs, m'a dit Gert.

Il avait retiré son tee-shirt et passait la main dans sa tignasse blonde.

— Tu veux que je te les coupe ? Je fais ça très bien, ai-je répondu.

Il m'a dit O.K., on fait comment ?

J'aimais ça chez lui, cette disponibilité joyeuse, cette façon de faire aussitôt ce qu'on prévoyait. Il était hyperactif, mais face à l'indolence d'Hélène, il n'avait guère le choix. Le matin, c'était toujours lui qui se levait pour changer Nigel et lui donner son biberon. Après, il déposait son fils dans mon lit et partait à la fac. Inutile de compter sur Hélène, elle aurait laissé son enfant ramper jusqu'à la cuisine ou, pire, jusqu'au balcon. Moi, j'étais à moitié endormie mais on pouvait me faire confiance, jamais je n'aurais laissé un bébé s'en aller tout seul à l'aventure. Avec Nigel, j'avais découvert des sensations merveilleuses. Ce tout-petit contre moi me bouleversait, et aussi quand il se dressait dans son lit à barreaux en tendant ses bras minuscules pour que je le prenne. Je résistais le plus longtemps possible, j'attendais qu'il me supplie, qu'il pleure un peu, mais je cédais quand même assez vite, je n'étais pas un monstre, et quand je le prenais dans mes bras, le simple fait qu'il s'apaise m'emplissait d'importance. J'aurais préféré faire la grasse matinée bien sûr, mais je trouvais là une compensation inédite, on pouvait appeler ça de l'amour.

43

Gert est venu vers moi avec une paire de ciseaux et une serviette rouge, on y va ? J'ai demandé où ?

— Sur le balcon, comme ça on n'aura pas besoin de balayer.

On a installé la chaise devant la fenêtre. Le soleil n'atteignait pas la balustrade dont le bois s'écaillait comme l'écorce d'un vieil arbre, mais il faisait une chaleur de bête. Gert s'est assis sagement, épaules et pieds nus, la serviette autour du cou. J'ai éclaté de rire, mais tu la mets comme si on se préparait à des agapes ! Il me contemplait en riant, il ne comprenait pas cette expression. Il répétait : se préparer à des agapes… Il parlait bien le français sans pouvoir progresser parce que Hélène ne le reprenait jamais — d'ailleurs elle-même perdait sa langue maternelle —, et parfois, quand il était énervé ou ému, son accent reprenait le dessus. Je me suis emparée des ciseaux avant de réaliser qu'il me fallait un peigne aussi parce que ses cheveux étaient épais et très raides. J'ai commencé par le coiffer avec douceur, ses cheveux mouillés sentaient le pain tiède et des gouttes de sueur perlaient à son front. J'ai donné un premier coup de ciseaux, juste sur le dessus du crâne. Il ne me disait pas comme la plupart des garçons, fais attention, hein ! Il avait confiance, il était comme son fils, abandonné à la seule femme qui s'occupait de lui.

— Je crève, ai-je dit en passant mon bras sur ma joue.

Mes doigts étaient humides et j'ai senti l'odeur forte de mes aisselles. Gert m'a proposé d'enlever mon tee-shirt. Je lui ai obéi, à l'époque, on se foutait à poil pour un oui pour un non. Il a quand même murmuré : ne dis pas à Hélène que tu m'as montré tes seins. J'ai trouvé sa phrase bizarre, maladroite surtout, mais il y avait tant de gentillesse en lui que je suis restée comme ça, le torse nu, ma poitrine littéralement sous son nez. Il m'a dit que j'avais de jolis seins, j'ai souri en lui recommandant de se taire s'il ne voulait pas que je lui coupe une oreille. J'avais plaisir à prendre ses cheveux entre le majeur et l'index, à tailler les mèches qui dépassaient, à entendre ce bruit soyeux des lames qui tranchaient net. On n'entendait plus que ça, le son rauque de la coupe, et aussi les oiseaux qui piaillaient et, très loin derrière, la rumeur d'Amsterdam. J'ai pris le temps, j'ai fait traîner les choses, je me suis appliquée. J'ai attaqué la nuque et c'était le plus délicat. J'étais obligée de me pencher, le nez dans son cou, je pouvais respirer son odeur de mie et de savon. Après, je me suis plantée devant lui, pour voir le résultat. Il ne quittait pas mes seins des yeux, il avait l'air heureux. Ce n'était plus seulement du contentement, mais quelque chose de plus profond, de plus paisible, oui, quelque chose comme du bonheur.

— Alors ? C'est comment ?

— Ne bouge pas, je vais chercher un miroir…

Je suis revenue et il s'est regardé attentivement. Il y avait quelques retouches à faire mais, dans l'ensemble, ça allait. Il s'est levé et m'a embrassée sur la joue, tout le corps appuyé contre moi, ses longs bras enserrant ma taille. Arrête, ai-je murmuré. Il pesait tant sur moi que j'avais l'impression qu'il allait me renverser, me basculer de l'autre côté de la balustrade. Il s'est écarté mais a saisi ma main pour m'emmener dans la chambre. J'étais d'accord, mes scrupules vis-à-vis d'Hélène ne suffisaient pas. Je m'en remettais à lui, ce n'était pas moi le mari, et je savais qu'Hélène refusait de faire l'amour depuis des mois, depuis la naissance de Nigel — vingt-deux mois. Cela faisait longtemps aussi que personne ne m'avait touchée.

On a commencé par s'embrasser longtemps, sa bouche avait un goût de dentifrice, et le reste est venu le plus naturellement du monde. Il était tellement plus grand que moi que j'étais comme une poupée entre ses bras. Ça me plaisait cette impression d'être à sa merci. Il a joui très vite, un peu confus de ne pas avoir attendu mon plaisir, mais je l'ai rassuré, ça m'était égal de ne pas avoir d'orgasme, je faisais ça très bien toute seule et ce n'était pas le plus important. Il m'a demandé : c'est quoi, alors, le plus important ? Je suis allée me doucher et quand je suis revenue dans la chambre, je l'ai surpris en train de renifler ses doigts pour retrouver l'odeur de mon sexe. C'est à ce moment-là, précisément, qu'on a entendu la clef dans la serrure de la porte. J'ai bondi dans le fauteuil, heureusement que j'avais enfilé un déshabillé en coton, même si j'avais omis d'en nouer la ceinture. Gert, lui, a eu le temps de fermer la porte de la chambre.

Quand Hélène est apparue, épuisée d'avoir passé plusieurs heures en plein soleil à essayer d'écouler nos bijoux, elle m'a trouvée lovée dans le fauteuil, le nez sur la grande caisse où gisaient les disques, cherchant n'importe quelle musique pour faire diversion, et le cœur battant si fort que je ne pouvais pas la regarder.

Elle a dit : ça va ? J'ai répondu, le visage toujours penché sur la caisse, oui, oui, et toi ? Elle a posé le panneau sur lequel on épinglait nos colifichets.

— Je suis rentrée plus tôt parce que j'ai bien vendu. Presque tout.

— Ah super, ai-je dit.

Gert n'apparaissait toujours pas.

— Et Gert ? Il est là ?

— Oui, oui, il est dans la chambre, je crois...

J'étais rouge, je suis tombée sur un 33 tours de Véronique Samson et je l'ai posé sur le tourne-disque. Mon déshabillé était à moitié ouvert sur mes cuisses, je n'arrivais pas à le fermer et je me disais que ce simple détail allait nous trahir.

— Tu es sûre que ça va, Sonia ? a demandé Hélène.

La voix de Véronique Samson s'est élevée, j'ai enfin pu relever la tête et affronter le regard de mon amie.

Neuf mois plus tôt, elle m'avait proposé de les rejoindre à Amsterdam. Elle m'avait dit : Viens, on sera heureux ! Elle était ma plus vieille compagne, nous ne nous étions pas lâchées depuis la sixième jusqu'au bac. Après, chacune avait rejoint son existence. Elle s'était mariée avec Gert, un Hollandais rencontré au Cap-Ferret, et elle était tombée enceinte. J'étais partie à Paris faire du théâtre. Elle avait donné naissance à Nigel et, devant son petit garçon, s'était mise à déprimer parce que la venue de cet enfant l'anéantissait. J'avais passé le concours du conservatoire et celui de la rue Blanche et j'avais échoué au deuxième tour des deux. Et puis Corinne était morte. Hélène m'avait dit : Tu m'aideras à faire des bijoux, je t'aiderai à reprendre pied.

D'une certaine manière, moi aussi je l'avais aidée à reprendre pied. Tu comprends, me disait-elle, je n'y arrive pas avec Nigel, je l'adore, mais je ne peux pas...

Tous les matins, elle se rendormait, inerte. Ma présence l'avait peu à peu ranimée. Sa compagnie, celle de Gert et de Nigel m'avaient doucement redonné de la consistance. Nous étions quittes.

— Oui, je vais bien mais cette chaleur, je n'ai plus l'habitude…

— Tu es écarlate…

— Je ne sais pas ce que j'ai.

Gert est sorti de la chambre. Il rayonnait. Il n'avait pas du tout l'air embarrassé.

Hélène l'a observé du coin de l'œil.

— Tu es allé chez le coiffeur ? a-t-elle demandé.

J'ai répondu très vite, non c'est moi qui lui ai coupé les cheveux, tu trouves comment ?

Elle a dit pas mal.

Gert a enfilé une veste en toile qui lui donnait l'apparence d'un brave garçon inoffensif, il a pris son cartable et il est parti en claironnant : Salut !

Hélène est venue s'assoir en face de moi.

— Je te sers un truc à boire ? ai-je demandé.

J'avais peu à peu repris mes esprits et rajusté mon peignoir.

— Ah oui, merci…

Je me suis levée. Le mouvement m'a permis de me ressaisir tout à fait. Dans la cuisine, j'ai versé du café dans deux mazagrans. Hélène avait les yeux fermés lorsque j'ai posé la tasse fumante devant elle. Véronique Samson chantait toujours — « je vous jure que j'ai du chagrin… in… in…in… » —, des chansons sentimentales que nous aimions parce qu'elles parlaient de nous, de nos peines.

L'après-midi s'est écoulé comme ça, dans la torpeur de ce printemps à la chaleur de bête. Vers six heures, juste avant de se mettre à table, Hélène m'a proposé une bière. Et là, elle m'a dit qu'elle n'aimait plus Gert, qu'elle n'avait plus le moindre désir pour lui, que Nigel avait pris toute la place. Je l'ai écoutée en silence. Elle a ajouté : je ne t'en voudrais pas si tu fais l'amour avec lui, tu sais. Je suis sûre que tu lui plais. Je m'en fous. Ça m'arrange même.

J'ai bafouillé un truc idiot, du genre : mais, je, je ne sais pas, il ne me plaît pas tu sais...

Elle a haussé les épaules. Elle me regardait avec humour.

Quelqu'un a sonné à la porte, c'était Théo Van Gogh, le voisin du dessus qui venait se doucher quelquefois chez nous. Il avait toujours peur de déranger, il rasait les murs, s'excusait dix mille fois et disparaissait dans la cabine de douche tout habillé. On a entendu l'eau couler et on a éclaté de rire parce qu'un jour, on avait imaginé qu'il laissait juste couler l'eau en se plaquant contre la cloison pour ne pas être mouillé. On a ri comme ça jusqu'à ce qu'il sorte de la cabine. On n'a pas pu s'empêcher de vérifier que ses cheveux étaient mouillés. Il s'est avancé dans le salon et a demandé à Hélène si ça ne l'ennuyait pas de garder ses clefs quelques jours parce qu'il partait en voyage et qu'il fallait aller nourrir sa chèvre. Hélène a crié : ta chèvre !! — mais sur le moment je n'ai pas compris, je ne parlais pas encore assez bien.

Hélène a pris ses clefs en soupirant, Théo s'est éclipsé après avoir dit merci. Il a failli tomber en partant à reculons.

— Il a une chèvre dans son appart… On doit aller la nourrir, a lâché Hélène en finissant sa bière.

J'ai failli m'étouffer quand elle a dit ça. On s'est regardées. Et puis on s'est mises à rire comme on n'avait pas ri depuis longtemps — jusqu'aux larmes.

4

Willy

(1982)

C'était une petite salle du Quartier latin dont l'enseigne avait perdu une lettre. Entre deux portails vermoulus, le pas de porte ressemblait à celui d'un cinéma porno — à peine une enclave dans la rue Saint-André-des-Arts. La première fois qu'Adèle s'était risquée là, elle avait évité les regards, elle était intimidée, même l'odeur de la salle lui donnait l'impression d'être une étrangère. Et puis, elle était venue de plus en plus souvent, sa silhouette menue se fondait dans la pénombre. Quand elle s'asseyait et levait les yeux vers l'écran, elle se disait : Un jour, je serai une grande actrice. Elle en était sûre. Elle avait quitté Toulouse depuis trois mois, la vie était dure à Paris mais elle disait toujours qu'elle n'avait peur de rien. À cinq ans, elle avait appris à lire dans un album qui racontait l'histoire d'un piaf téméraire. Depuis, elle chantonnait : « Je suis un moineau, je n'ai peur de rien... » Ses parents souriaient, elle recommençait : « Je suis un moineau, je n'ai peur de rien... » Elle était soulagée d'avoir largué les amarres, de s'être arrachée à cette ville que ses dernières amies, elles aussi, avaient fuie. Il lui arrivait le soir d'être triste, mais l'euphorie n'était pas passée, elle avait encore cette foi inébranlable en son avenir, la conviction d'un destin, la certitude d'y arriver. Tout le monde lui avait répété qu'être comédienne, c'était une folie — combien se cassent les dents pour une qui réussit, prédisait sa grand-mère en levant le doigt à la hauteur de son nez... Mais Adèle haussait les épaules : « Je suis un moineau, je n'ai peur de rien. » Elle pensait à son père. Au mal qu'il s'était donné pour elle. Quand sa mère était morte, il s'était mis en devoir de lui faire une vie au-dessus du lot. Ce n'était pas qu'il la gâtait tellement, non, mais il s'épuisait à mettre de la gaieté dans une maison où désormais, quoi qu'il fît, la prudence avait baptisé toute chose. Il s'épuisait à la surprendre, à la faire rire, à lui faire lever les yeux. Il avait repeint les murs de sa chambre, dessiné des animaux géants au-dessus de son lit, changé les rideaux, acheté un piano. Elle avait douze ans et, grâce à son père, elle avait appris à ne pas regarder en arrière. Avance ! Ne te retourne pas ! semblait-il toujours lui répéter. Elle se retournait pourtant, la nuit, quand tout était silencieux. Elle parlait à sa mère à mi-voix. Elle l'imaginait dans le ciel, elle s'était mise à croire en Dieu. C'était son jardin secret. Elle entrait parfois dans les églises parce qu'elle pensait que sous les voûtes froides, dans l'odeur de bois et d'encens, sa mère pouvait l'entendre. Au fil des années, elle s'était mise à éviter son père en rentrant à la maison. Elle n'avait plus envie de l'embrasser. Elle esquivait ses marques d'affection. Il ne lui en faisait pas reproche mais lorsqu'il lui arrivait encore de la prendre dans ses bras, il serrait davantage le corps de sa petite fille qui lui échappait. Il l'avait néanmoins élevée pour qu'elle s'émancipe, qu'elle n'ait pas peur de partir. C'est pourquoi il n'avait pas tenté de la retenir quand elle lui avait dit qu'elle désirait s'installer à Paris. Il était le seul à ne l'avoir pas mise en garde contre le métier d'acteur. Au contraire, il l'avait aidée à chercher une école de théâtre qui ait bonne réputation. Il comprenait qu'elle puisse manquer d'air, qu'elle ait besoin d'horizon. Quand il l'avait amenée à la gare, il avait respiré son parfum, et elle, l'oreille sur sa poitrine, avait entendu les battements de son cœur. Tu viendras me voir, lui avait-elle dit en se dégageant. Il avait hoché la tête en souriant. En montant dans le train, elle s'était penchée une dernière fois pour regarder sa haute silhouette s'éloigner. À son pas ralenti, à ses épaules un peu voûtées, elle avait réalisé qu'il était devenu vieux.

Elle était arrivée à Paris en plein cœur de l'été, et immédiatement elle avait adoré cette ville où, malgré la torpeur estivale, régnait une impalpable atmosphère de chaos. Ce n'était pas seulement à cause de l'attentat de la rue des Rosiers qui avait fait six morts au début du mois d'août, c'était autre chose, un sentiment de menace imperceptible qui l'excitait. Quand elle marchait dans les rues brûlantes, elle sentait que tout était réuni pour aller à sa perte, qu'il fallait se dépêcher de vivre. Au cours de théâtre où elle s'était inscrite, elle n'osait pas parler aux autres. Elle était complexée par tous ces comédiens en herbe qui semblaient si sûrs d'eux. Elle restait au fond de la classe et elle absorbait tout. Les textes, les mouvements, la lumière, les postures, les conseils du professeur d'art dramatique. Sans cesse, il répétait les mêmes choses. Il disait : « Qu'est-ce que vous attendez pour décrocher un rôle ? » Il disait :

« Vous devez courir les auditions, faire de la synchro le matin, répéter l'après-midi, monter sur scène le soir. »

Il disait aussi que comédien, c'était la profession où il y avait le plus de chômage en France. Il savait de quoi il parlait, il était acteur et arrondissait ses fins de mois en donnant des cours. Il avait une trentaine d'années et un visage tourmenté. Il croyait encore à sa chance. « Bougez-vous ! Faites-vous désirer ! » tonnait-il. Les élèves le fixaient avec des yeux ronds. Si les plus chanceux tournaient une pub par mois, c'était le bout du monde. Au début, Adèle redoutait qu'il la remarque, elle se tenait dans l'ombre pour éviter qu'il la fasse monter sur scène. Et puis un jour, il avait demandé une volontaire pour donner la réplique à Ruy Blas parce que la fille qui devait tenir le rôle de la jeune reine n'était pas là. Adèle savait par cœur la scène, et même les suivantes, elle n'avait pas besoin du texte à la main. Elle s'était jetée à l'eau. Sa voix ferme où traînait un résidu d'accent du Sud avait fait merveille.

Le professeur a commencé à l'observer. Adèle l'a senti. Elle a senti que le professeur, enfin, la regardait. Qu'il était sensible à son air gauche et déterminé. Depuis ce jour, il est sous le charme de cette petite blonde dont la volonté d'effacement le bouleverse. Petit à petit, il a perçu le genre de personne qu'elle était. Timide mais dure, tenace. Quand elle est face à Ruy Blas, dans la scène où la reine fait l'aveu de son amour, il lui susurre à l'oreille : « Oui, vas-y, tu l'aimes, tu l'aimes, tu as seize ou dix-sept ans, il en a vingt, il est beau, tu l'aimes ton Ruy Blas… » Il se tient tout près d'elle, sous les projecteurs, comme s'il était son géniteur, son Pygmalion. Adèle a cherché la définition du mot Pygmalion dans le dictionnaire et, désormais, elle se voit comme une statue que seul l'amour des autres peut animer. Quand le professeur est ainsi dans son dos, effleurant ses cheveux dorés, elle sent qu'elle tient le monde dans ses mains, que la route est immense mais que tout est possible.

Chaque matin, chaque soir, elle prend le métro, épuisée mais heureuse. Elle n'en finit pas de regarder les affiches de cinéma. Elle n'en a jamais vu d'aussi grandes. Sur sa ligne, entre Saint-Paul et George-V où un oncle lui prête un petit studio rue Washington, elle compte les affiches de *Querelle* de Fassbinder. C'est insensé ce large coucher de soleil dans lequel Brad Davis se tient déhanché, mains dans les poches, polo rayé, casquette blanche en arrière. Il a l'air bravache, du genre à défier tout le monde. Elle n'a pas vu le film mais elle est fascinée par ce jeune homme qui a l'air de dire : « Regardez comme je suis beau, vous ne m'aurez pas, vous ne m'aurez jamais. »

En attendant, elle a préféré revoir *La Maman et la Putain* de Jean Eustache parce que Jean-Pierre Léaud doit venir à la fin de la séance. La veille, elle a vu *Mes petites amoureuses,* l'avant-veille, *Le Père Noël a les yeux bleus* et *Une sale histoire.* Au cours de théâtre, quelqu'un lui a dit que Jean Eustache s'était suicidé il y a un an.

Quand Jean-Pierre Léaud arrive, à la fin de la projection, elle est émue aux larmes. Il a un petit foulard autour du cou et des lunettes de soleil rondes qu'il garde devant l'auditoire. Il dit : « Je viens de voir les dernières images du film, et je réalise à quel point j'avais fini par ressembler à Jean… »

Il parle sèchement, répond sans un sourire aux questions

des spectateurs. Ses traits acérés se tendent à chaque mot comme si ses phrases lui faisaient mal. Peut-être est-il intimidé ou seulement triste ? Peut-être pense-t-il qu'il est trop tard pour Eustache ? Les gens découvrent enfin ses films mais il n'en fera plus d'autres — à quoi bon dans ce cas ?

Adèle quitte la salle déprimée. Elle a dix-huit ans et aucun amoureux.

La nuit est tombée doucement sur Paris. Dans l'air moite circule une brise venue avec le soir. Elle craignait d'avoir froid mais il fait chaud. À grand-peine, elle tâche de reprendre pied dans ce monde, remonte la rue Saint-André-des-Arts jusqu'à la place Saint-Michel, déambule dans la foule où elle voit des passants qui hâtent le pas, des touristes émerveillés, des couples paisibles, appuyés l'un contre l'autre, comme des boiteux.

Elle songe que l'amour et la cruauté vont toujours de pair. Elle songe qu'il est inutile de se précipiter, qu'il faut savoir attendre, qu'elle rencontrera celui qu'elle espère lorsqu'elle sera prête.

Dans un café qui donne sur la place, elle commande un thé et tire de sa besace un cahier où elle a pris l'habitude d'écrire ce qu'elle ressent. On ne devient pas une grande actrice si on ne sait pas lire dans son cœur.

D'une écriture large, Adèle écrit : « Je suis prête pour l'amour. » Le serveur pose une tasse et une théière minuscule devant elle, glisse le ticket sous un cendrier en verre, repart sans un mot. Elle a levé les yeux pour le remercier, et au moment de les replonger dans son cahier, ils croisent ceux d'un jeune homme. Elle vérifie fugacement que c'est bien elle qu'il regarde. Oui, pas de doute, il a même un sourire. Elle se détourne, fait semblant de s'intéresser à la nuit qui ravage le ciel. Retourne au jeune homme. Constate qu'il l'observe toujours. Quand il se lève et vient vers elle, elle se rétracte imperceptiblement, mais rien ne semble pouvoir entraver la marche du garçon qui s'appuie au rebord de sa table, pose les mains de part et d'autre de sa tasse, se penche vers elle et murmure : Tu penses trop, toi...

Elle s'enhardit : Tu veux t'asseoir ?

Il s'installe en face d'elle, se vautre plus qu'il ne s'assoit. Adèle l'examine attentivement, elle ne sait pas si c'est lui qu'elle attendait mais elle veut bien le suivre au bout du monde.

— Moi, c'est Willy, lâche-t-il.

— Moi, c'est Adèle.

Il a le regard clair, un visage ouvert aux joues pleines, une barbe naissante et les dents écartées. Ils échangent quelques phrases sans conséquence, se risquent sur des terrains plus intimes. Adèle lui dit qu'elle adore le cinéma, qu'elle voit un à trois films par jour. Elle n'ose pas lui avouer qu'elle veut être comédienne, déjà il répond que c'est une sacrée coïncidence, cette rencontre, parce que lui aussi, il adore le cinéma et qu'il veut être acteur. Sur ce il commande un demi et Adèle accepte un deuxième thé. Elle pense qu'elle n'a plus un centime, qu'elle devra le laisser payer.

— Tu connais Jean Eustache ? demande-t-elle brusquement.

— Non...

— Je viens de revoir l'un de ses films, *La Maman et la Putain*…

— Tu as eu besoin de le revoir ?

Elle ne s'attendait pas à cette remarque, bafouille, oui, et pourtant, ça dure trois heures et demie…

— Trois heures et demie ??! Et ça raconte quoi ?

Elle a une hésitation de quelques secondes.

— C'est l'histoire d'un homme qui aime deux femmes.

Willy fait une moue sans conviction.

— Moi, les histoires d'amour, c'est pas mon truc, dit-il. Ce que j'aime, c'est les films américains.

Elle pense qu'il n'y a pas d'incompatibilité, mais elle se tait.

Le serveur revient et dépose en silence le thé et la bière. Des gouttelettes glissent le long de la paroi du verre. Willy boit d'une traite.

— On bouge ? propose-t-il.

Elle n'a pas touché à son thé mais il s'est mis debout, jette des pièces sur la table, sort du bar sans se presser. Tout en se levant, elle avale une gorgée de thé, se brûle, le suit.

Ils marchent côte à côte, d'un pas qu'elle s'échine à assortir au sien.

Ils rejoignent les quais, se laissent surprendre par une bourrasque qui éparpille les longs cheveux d'Adèle. Ils traversent la Seine sur laquelle avance une péniche, tous feux dehors. Adèle est enivrée de grand air et d'un bonheur soudain. Après le pont, Willy a pris un peu d'avance sur elle, il se retourne parfois, lui tend la main comme s'il devait l'aider à sortir d'un fossé. Elle trébuche sur un trottoir, tombe, se relève en riant. Il la regarde avec ce mélange d'indifférence et de douceur qui l'a séduite.

— On va où ? demande-t-elle.

— Chez un pote. Il a quelque chose pour moi.

— On est arrivés, ajoute-t-il en montrant la façade minable d'un immeuble juste en face d'eux.

Dans les escaliers étroits où Adèle suit Willy, une odeur de fruits gâtés coupe la respiration. Les deux jeunes gens gravissent les cinq étages. Adèle a du mal à récupérer son souffle. J'ai un peu d'asthme, s'excuse-t-elle tout en pensant qu'elle a oublié son inhalateur. Elle entre derrière Willy, la pièce est petite, en désordre. Sur la table basse, dont le cadre et les pieds sont en bambou, traînent des mégots et du tabac, des verres crasseux et des allumettes. Un type est affalé sur un canapé. Il ne se lève pas pour saluer, ferme les yeux. Adèle est un peu embarrassée mais Willy la met à l'aise, assieds-toi, j'arrive... Elle attend, accroupie plus qu'assise, enlaçant ses genoux avec ses bras, regardant autour d'elle.

Sur le mur d'en face, une affiche annonçant un festival de cinéma chinois la rassure inexplicablement.

Le garçon allongé grogne et remue. Il ouvre les yeux, la voit. Elle lui sourit. Il se redresse, tousse, se roule une cigarette. Son visage enfantin a une expression de douleur qui se dissipe peu à peu. Ses yeux très noirs se posent à nouveau sur Adèle. Il marmonne, salut. Elle réitère son sourire.

Willy sort enfin de la chambre avec un autre garçon qui va directement à la table de bambou, prend les allumettes, allume son mégot. Il n'a pas regardé Adèle mais lui tend son joint. Elle refuse. Il n'insiste pas. Willy s'est assis à côté d'elle et pose sa main sur son épaule. Elle est aux anges.

— Au fait, lui, c'est Tom et lui, c'est Frank…

Adèle sourit.

Le joint tourne et, chaque fois, Adèle le fait passer sans tirer dessus. Elle aimerait sortir, profiter de cette nuit si claire, mettre sa main dans celle de Willy et se promener avec lui, au hasard des rues.

— On sort ? propose Willy.

Elle acquiesce. Frank se rendort après avoir murmuré, sans moi. Tom met son tabac dans une des poches de son blouson en jean et dit, je connais un endroit super, un endroit de folie…

Il a ouvert la porte, attend qu'Adèle et Willy soient sortis pour éteindre la lumière et fermer à clef. Les trois jeunes gens descendent l'escalier en silence, Adèle en dernier, la main sur la rampe.

Dehors, une sirène retentit dont le bruit se rapproche. Les jeunes gens se retournent sur une fourgonnette de police qui passe devant eux à toute allure. Willy et Tom rigolent.

— On va où ? demande Adèle.

— Tu vas voir, c'est un endroit génial, répond Tom qui marche devant la jeune fille. Il n'est pas grand mais massif, Adèle examine ses hanches étroites, ses épaules solides, son cou d'enfant posé sur ce corps d'athlète. À côté de lui, Willy qui le dépasse d'une tête paraît longiligne. Les deux jeunes gens allument une cigarette et marchent dans la nuit sans se soucier d'elle. Elle pourrait bifurquer, changer de trottoir, disparaître dans une rue latérale, ils ne s'en apercevraient pas. Mais Adèle les suit, docile et conquise comme un petit animal qui ne veut pas être seul.

Après dix minutes de marche, Willy semble se souvenir qu'elle est toujours là, il lui prend la main et la ramène à sa hauteur.

— Tu ne veux vraiment pas essayer ? dit-il en lui tendant le joint que Tom a roulé en marchant. Elle accepte pour lui faire plaisir, tire une bouffée, grimace. Willy lui explique qu'elle doit avaler plus profondément, que sinon, elle ne sentira rien. Elle recommence, s'applique, tousse. Les garçons plaisantent. Un rien les fait rire et Adèle rit aussi pour être au diapason.

Enfin, ils arrivent devant un chantier. Sur la palissade, une affiche de *Querelle* a été à moitié arrachée, mais la silhouette de Brad Davis est intacte et Adèle a l'impression qu'il la regarde. Tom grimpe, chuchote, O.K., venez, y'a pas un chat… Willy aide Adèle à se hisser. Elle a un corps souple mais sa jupe est trop longue et l'entrave. Elle en a déchiré le bas en sautant vivement. Ils se retrouvent de l'autre côté, sur un terrain que la lune inonde d'une lumière liquide. C'est pas beau ? interroge Tom avec un sourire d'illuminé. Ils avancent vers une pelleteuse dont l'énorme silhouette se découpe dans le ciel. La terre retournée exhale un parfum tiède. Un peu plus loin, des pneus qui empestent le goudron forment des colonnes aux empilements irréguliers. C'est un ancien garage, dit Tom en parlant fort, et dans la nuit, son timbre semble déplacé.

Des ouvriers ont laissé là leurs affaires, quelques verres en laiton, un briquet, une bouteille de vin à peine entamée.

Tom s'affale sur un pneu et porte le goulot à sa bouche.

Willy s'installe, offre ses bras pour qu'Adèle le rejoigne. On n'est pas bien, hein ? s'exclame Tom qui tend la bouteille de vin à Willy et roule un nouveau joint.

Adèle accepte une fois encore de tirer sur la clope mais elle ne sent rien de particulier, sinon ce goût acre, sauvage qui lui brûle la gorge. Les garçons, eux, n'arrêtent pas de rire. C'est un rire morne et sans objet qui berce Adèle dont les paupières se ferment. Elle s'étend sur les pneus tandis que Willy s'est mis debout pour aller pisser. Quand il revient, elle dort à moitié. Il va s'assoir un peu à l'écart, lève les yeux vers les étoiles, le doigt pointé en direction du ciel comme s'il montrait la Voie lactée à d'invisibles spectateurs. Tom s'est rapproché de la jeune fille. Il glousse en désignant Willy du menton, lâche : il est complètement barré...

Adèle se redresse un peu, essaie de garder les yeux ouverts, sombre dans un court sommeil. Lorsqu'elle se réveille, Tom la regarde fixement. Il lui dit : tu es belle... Elle sourit. Il approche sa main de son chemisier, lui demande de lui montrer ses seins. Elle saisit son poignet, fait non de la tête. Il insiste mais elle résiste. Elle tâche de le repousser mais il est déjà sur elle tandis qu'elle essaie de le raisonner. Il lui dit, ta gueule — tout doucement, en chuchotant. Elle sent la densité de ses muscles, son torse qui pèse des tonnes. Elle n'arrive pas à se dégager, appelle, Willy !!, et Willy la regarde sans la voir avant de tourner sa face vers les étoiles. Adèle se dit, ce n'est pas possible, cela ne va pas m'arriver, mais cela arrive et, d'une main, Tom la bâillonne tandis que de l'autre il remonte sa jupe. Adèle se débat, pense à sa jupe foutue, se voit courir après sa propre vie qui, déjà, la déserte. Elle se dit qu'il faut qu'elle trouve la force de maîtriser Tom, ce dont elle est incapable et, vidée de ses forces, elle assiste, impuissante, à la panique de son corps immobile dans lequel elle sent monter une crise d'asthme.

Elle n'arrive pas à dire à Tom qu'il peut faire ce qu'il veut à condition de la laisser respirer. Il pèse sur elle qui se sent étouffer sans pouvoir faire un geste. Ses poumons se rétrécissent, elle tente un dernier effort qui l'épuise sans lui donner davantage d'air. Elle regarde vers Willy qui rit, la tête dans le ciel. C'est la dernière chose qu'elle voit, son amoureux hilare qui contemple la voûte céleste. Elle ferme les paupières. Elle pense à sa mère qui se penchait sur elle quand elle était petite. Elle pense à son vieux père et à la vie merveilleuse qu'il lui a faite.

5

Paul et Lili

(1983)

À cette époque, revenir à la maison était une fête.

Je prenais le train à la gare d'Austerlitz et, sous l'immense halle de verre, j'éprouvais toujours la même angoisse à l'idée de rater le départ. Une fois dans mon compartiment, lorsque nous traversions les chantiers à la lisière de Paris, je respirais enfin. Le voyage était bien assez long pour me préparer au bonheur de retrouver les miens — cinq heures de trajet où j'alternais lecture et sommeil, laissant peu à peu grandir mon impatience. Quand la locomotive franchissait les grilles métalliques de la passerelle Eiffel, j'avais du mal à contenir mon excitation. Nous traversions la Garonne lentement. Une fillette, un jour, s'était écriée : Oh, la mer !

Été comme hiver, mon frère m'accueillait en bras de chemise. Au bout de l'allée en béton bistre — où enfant, j'avançais avec d'infinies précautions comme si je craignais de m'enfoncer dans cette matière rugueuse et colorée — je le voyais enfin. Je lâchais mon sac et courais jusqu'à lui.

Il est à deux pas, il me tend les bras. Il a deux ans de plus que moi mais nous nous sommes toujours considérés

64

comme des jumeaux. On n'a pas besoin de se poser des questions pour parler, les mots se bousculent. Ces deux-là, disent les autres en hochant la tête.

C'était une année de plomb dont la chaleur écrasait la ville. Seule la cage d'escalier restait fraîche, coupant net la brûlure du dehors. Le temps de monter les deux étages, ma mère venait à ma rencontre. Ma Lili chérie, murmure-t-elle avant de me considérer de bas en haut. Tu as grossi, non ? Elle, elle a rajeuni depuis que j'ai quitté le nid. Elle sort presque tous les soirs. Elle me dit que ce mois de juillet qui vient de s'achever a été le plus drôle de sa vie, qu'elle s'est bien amusée, qu'elle s'est fait de nouvelles amies — mais je comprends vite que ce sont des amis. Ses décolletés se sont ouverts, elle qui préférait les robes strictes. Elle porte des jeans aussi, et fait des mines de jeune fille quand elle me raconte ses histoires. Elle s'assoit sur la machine à laver, autrefois je la voyais à genoux devant le gros hublot qu'elle ouvrait pour retirer des kilos de linge. Elle est pleine d'émotions et en mal d'ivresse, c'est à croire qu'à quarante-six ans, elle est redevenue adolescente.

Mon père ne dit rien mais il n'en pense pas moins, je le vois à son regard impassible qui feint d'être détaché mais qui dit : voilà ce qu'est devenue notre famille. Je lui souris timidement, à peine quelques mots, puis je change de pièce — rien ne doit menacer mon bonheur d'être ici, avec eux, comme autrefois. Dans ma chambre, tout est à sa place : les rideaux vieux rose dont les embrasses se terminent par des pompons, le lit surmonté d'une gravure ancienne, le petit fauteuil crapaud, et le piano, surtout, le piano droit en palissandre. Je soulève son couvercle et contemple le clavier — ma main se pose, à peine, elle effleure les touches sans les enfoncer, je respire l'odeur du bois et de l'ivoire, une odeur de sacristie.

— Tu fais quoi ? me dit Paul, mon frère.

Il est arrivé en courant, locataire peu assidu de cette maison où sa chambre est devenue un entrepôt d'accastillage. La nuit, le plus souvent, il dort chez sa petite amie, Colette, une jolie brune qui a horreur du bateau et ne veut pas monter sur celui qu'il vient d'acheter avec ses premières économies et avec lequel il a décidé de prendre le large quand il aura terminé son école.

— Klaus Nomi est mort, me dit-il.

Il a le bras appuyé au chambranle, reste sur le seuil de ma chambre. Je m'en fous de Klaus Nomi, je voudrais appareiller là, tout de suite, avec Paul, alors que j'ai tellement rêvé de ces vacances à Bordeaux.

— Les parents, ça ne va pas fort, hein ?

— Bah, c'est pas nouveau, répond-il.

On entend la voix de ma mère. Elle appelle depuis la cuisine. Elle veut me voir, elle veut profiter de ma présence.

La cuisine a toujours été propice à nos conversations. C'était un lieu spacieux avec une table de jardin dont le plateau de marbre reposait sur des pieds en fer forgé. Nous avions passé des heures avec mon frère sous cette table dont l'assise toute en torsions nous semblait féerique. Ce pied alambiqué était idéal pour cacher des navires pirates ou pour faire grimper la Lamborghini gris métallisé de Paul.

— Je file, me dit-il. On se voit ce soir ? Neuf heures au Marsa.

Il laisse dans son sillage une discrète odeur de musc — il porte l'eau de toilette que je lui ai offerte pour Noël. Ma main couvre toute une octave du clavier et s'enfonce brutalement. Cela produit un son rauque et puissant qui n'en finit pas. J'aime ce piano comme un être vivant. D'autres enfants s'attachent à des chiens ou à des chats. Moi, ce fut ce piano. Il était déjà vieux quand j'étais petite. On lui prodiguait des soins intensifs. Des soucoupes pleines d'eau qu'on glissait dessous pour qu'il ait un peu d'humidité parce que l'air était trop sec à cause des chauffages par le sol. Une cire particulière pour faire briller son bois. Un produit spécial pour les chandeliers. Il a moins changé que nous tous. Il semble attendre que je le fasse sonner encore. Il a toute la patience du monde.

Il me suffisait de penser à cette maison pour revoir ma mère. Elle était là, concentrée, affairée, mutique. Ignorant sa beauté et la façon dont, pour moi, elle était bénéfique. Je suis devant elle à présent et la joie de la revoir ne suffit pas à me faire oublier le délitement que je pressens. Un chant du cygne que personne ne veut entendre. En attendant, elle déborde d'énergie. Sa vitalité n'émane pas seulement de son corps mince et de ses traits intacts. Il semble que tout son être possède une vigueur inédite, un sang neuf venu avec l'expérience — on rajeunit à chaque bébé qu'on met au monde, m'a dit un jour une voisine qui avait l'air de savoir ce qu'elle disait bien qu'elle ait eu quatre enfants sans paraître en avoir tiré profit.

Cela fait belle lurette que ma mère n'a mis personne au monde, mais elle dégage une force peu commune. Une volonté d'en découdre qu'elle n'a jamais eue par le passé.

Elle était somnambule, la voici incapable de fermer les yeux. Inutile d'être grand clerc pour comprendre que mon père la préférait endormie. Il n'aurait pas aimé que je dise cela comme ça, lui qui nous avait élevés pour être libres, mais il n'a pas élevé sa femme et il a beau être moderne, il n'en est pas moins désemparé.

— C'était qui ce Klaus Nomi ?

— Un chanteur, un artiste, une icône… C'est impossible que tu n'en aies jamais entendu parler…

Ma mère regarde dans le vague. Elle a du temps à rattraper, tous ces artistes qu'elle ne connaît pas, toute cette époque qui lui a échappé. Où était-elle, que faisait-elle durant ces années ? À la maison, on n'a jamais écouté que de la musique classique. C'est ainsi que nous avons grandi. Avec des cris, des disputes, des réconciliations et, au-dessus de cette cacophonie, la *Symphonie Jupiter* ou le *Concerto Empereur*. Ma mère semble réaliser que sa jeunesse prend fin et qu'elle n'en a rien fait.

— Je ne me suis pas vue vieillir, résume-t-elle comme si elle devinait mes pensées. Elle écrase sa cigarette, s'immobilise, me contemple de nouveau. Et tes cours de théâtre, interroge-t-elle, ils se passent bien ?

Je fais une moue qui signifie ni oui ni non. Elle voudrait que je lui raconte, que je lui fasse partager ma nouvelle existence, mais quelque chose en moi s'y refuse. J'aimerais pouvoir lui dire que je suis amoureuse d'un garçon de l'école qui préfère les hommes, que cet amour me ronge et me donne des ailes en même temps, que le théâtre nous rassemble et magnifie nos sentiments — et je me tais cependant, bloquée, butée. Mes yeux se portent sur la véranda où la grille mauresque donne un petit air de moucharabieh à la fenêtre. Cela m'a frappée en arrivant, quand j'ai contemplé la façade de l'immeuble aux étages strictement identiques où notre grille, seule, semblait montrer du doigt notre différence.

— Pourquoi avons-nous posé cette grille ? je demande à ma mère.

Elle répond, quelle grille, de quoi tu parles ? Elle ne comprend pas, mais chérie, nous avons toujours eu cette grille. C'est une vieille grille de jardin, elle est ravissante, non ? Nous l'avons installée quand nous sommes arrivés ici il y a douze ans…

— Et personne ne vous a jamais rien dit ?

Elle me considère comme si je venais de la planète Mars, et pourquoi on nous aurait dit quelque chose ?

Le four est tiède, j'espère encore qu'elle a fait les biscuits au citron que j'adore, mais elle met vite fin à mes espoirs. Tu sais, la cuisine, ça m'emmerde maintenant, lâche-t-elle. Elle veut bien en revanche aller courir les boutiques avec moi demain après-midi, m'acheter des vêtements, dépenser de l'argent. On pourra parler, me dit-elle, ici, avec ton père, ce n'est pas pratique. Mon père qui entre justement dans la cuisine, demande à quelle heure on dîne et si Paul compte se joindre à nous.

— On ne va pas manger comme les poules, réplique ma mère.

Mon père ne dit rien, il effleure ma joue, n'ose pas me prendre dans ses bras.

— On pourrait aller dîner au restaurant pour fêter ton arrivée…

— J'ai rendez-vous avec Paul, papa… On dîne dehors…

Il m'adresse un sourire évasif, il a l'air perdu, comme s'il venait de réaliser que nous sommes devenus grands au point de sortir sans qu'il ait à nous tenir la main. Il regarde sa montre, hoche la tête. Je leur propose d'aller tous les deux au restaurant, mais ma mère me fusille du regard avant de lever les yeux au ciel tout en tirant la langue. Je ne lui ai jamais vue faire ce genre de grimace. Le téléphone sonne, elle se précipite dans le bureau qui est un prolongement du salon. Il n'y a pas de salle à manger chez nous, ma mère a toujours trouvé cela inutile et moche, et tout ce qui sert à s'attabler est escamoté. On l'entend qui décroche, dit allô, éclate de rire. On reste face à face avec mon père, debout, sur le seuil de la cuisine. Nous ne sommes pas très à l'aise.

— J'aime beaucoup les lettres que tu nous envoies, commence-t-il, c'est une joie de te lire…

Je demeure silencieuse — où sont passés les élans d'autrefois ? Les années d'enfance ont pris fin dans la guerre et l'incompréhension. Mon installation à Paris a apaisé les relations mais nous avons à réapprendre les gestes d'amour.

— Tu es heureuse, oui ? Ça ne doit pas être facile tous les jours…

Dans sa dernière lettre, il m'a écrit qu'il voudrait de tout son cœur qu'on se retrouve, qu'il est prêt à faire les pas nécessaires jusqu'à moi, « et tous, s'il le faut », a-t-il ajouté.

Ma mère n'en finit pas de rire, et nous guettons malgré nous les échos de sa voix qui s'exclame, s'esclaffe, puis baisse d'un ton et s'épanche. Quand elle revient à la cuisine, elle nous rabroue, bon, vous allez rester plantés là tous les deux ? Mon père disparaît, je vais m'asseoir sur le tabouret bleu clair sur lequel, enfant, je grimpais pour donner des conférences à mes parents, pendant qu'ils préparaient le dîner. J'abordais des thèmes aussi variés que saugrenus, j'inventais des personnages, j'étais intarissable.

Ma mère rallume une cigarette, c'était Mathilde, me dit-elle, elle veut qu'on se retrouve ce soir, je ne sais pas si je vais encore laisser ton père...

J'ignore si elle me demande mon avis, dans le doute, je me tais et allume à mon tour une gauloise blonde.

— Mathilde vient de me raconter qu'une bonne femme est montée en haut de la tour Eiffel il y a quelques jours, et qu'elle s'est retrouvée gratifiée d'une voiture gratis. Elle était la cent millionième à grimper ! Y'en a qui ont une de ces chances...

Ma mère croit toujours que les autres ont des faveurs dont elle est écartée par le sort. Elle marmonne, une voiture, en même temps, je ne saurais pas quoi en faire puisque j'en ai déjà une...

— On pourrait peut-être dîner tous les quatre un de ces soirs, avant que je reparte, dis-je en observant le soir qui décline.

— Tu sais que ton père pense sérieusement à vendre Malgenêt ? enchaîne-t-elle comme si je n'avais rien dit. Je bondis, quoi !? tu plaisantes ?!

— Mais non, tu sais, je n'ai plus envie d'y aller, et ton père, depuis ce qui est arrivé... Je ne sais pas de quoi elle parl , je tombe des nues.

— Mais il est arrivé quoi ?

— Eh bien, tu sais, ce petit garçon... Antoine, le fils des

voisins… C'est ton père qui l'a trouvé. Il croyait qu'il dormait, il était allongé bien à plat, sur le dos, au pied du grand chêne. Tout ça parce qu'il avait repéré un nid… Tu te rappelles quand même ? C'est arrivé au printemps…

— Mais qu'est-ce qu'il foutait sur notre terrain ?

— Antoine ? Il venait voir ton père, il aimait bien être avec lui. Il n'avait pas de copains, il était farouche et un peu en retard aussi. Ton père le rassurait, il se sentait en sécurité avec lui. Sauf qu'il n'était pas là ce jour-là. Mais le portail était ouvert, alors Antoine est entré et il a grimpé dans les arbres comme il faisait toujours… Et voilà…

J'ai l'impression que des tas de choses se sont passées dans mon dos, qui ne me concernent plus et qui pourtant affectent ma vie intime.

— Mais quand même, vous ne pouvez pas vendre Malgenêt… On y a passé tant de temps… On y a été heureux, non ?

Ma mère hausse les épaules, je croyais que vous n'aimiez pas cet endroit avec ton frère ?

Je me souviens des dimanches pluvieux où il fallait y aller, je me souviens de cette impression de devoir amortir les efforts consentis pour une construction qui s'était révélée longue et pénible. Je me souviens des ouvriers qui ne venaient jamais et de la colère froide de mon père qui avait décidé, un beau jour, de terminer seul les travaux. Cela avait pris du temps mais, au moins, il avançait à son rythme, sans être suspendu aux caprices d'un entrepreneur qui abandonnait ses chantiers. À cette époque, des mots nouveaux avaient fait leur apparition dans le lexique familial : latte, solive, panne, sablière, madrier. En quelques semaines, nous avions engrangé, Paul et moi, un savoir inattendu en matière de menuiserie et de charpente.

Je proteste doucement :

— Mais j'y suis attachée, moi…

Ma mère réplique sans état d'âme, pleine de cette nouvelle vigueur qui lui fait envisager l'avenir sous un autre angle.

— En attendant, ton frère ne pense qu'à foutre le camp avec son bateau et toi, tu vis à Paris désormais…

— Justement… J'ai besoin d'avoir mes souvenirs d'enfance préservés, c'est un refuge pour moi, tu comprends.

Ma mère se retourne vers moi :

— Mais tu t'imagines quoi, Lili ? Qu'on va entretenir un musée pour toi ? J'ai envie d'en profiter, figure-toi, de voyager, de voir autre chose, de découvrir des horizons nouveaux !

Elle a dit ça avec une sorte d'exaltation qui me fait froid dans le dos. J'ai de soudaines pulsions de meurtre. Pourquoi faut-il que les parents grandissent ? Pourquoi faut-il toujours qu'ils trahissent leurs enfants ?

Je rejoins mon père qui a allumé la télé et regarde les informations. Il ne se passe pas grand-chose à part la mort de Klaus Nomi, emporté par une maladie qui semble convenir à son extravagance. Pour le reste, tout le monde est en congé, mais les Français sont moroses, dit le présentateur en préambule à un reportage sur des gens du Nord qui restent chez eux parce que le plan de rigueur du gouvernement Mauroy les empêche de quitter la France. Nous, au moins, on a Malgenêt, même si les parents songent à vendre et ne s'y sont pas installés cette année. Ma mère a louvoyé pour ne pas avoir à y passer l'été, et mon père est revenu à Bordeaux pour une sombre histoire de livraison qui n'est pas arrivée à bon port. Des prétextes.

— C'est vrai que vous pensez à vendre Malgenêt ? je lui demande.

Il passe sa main dans les cheveux et incline le visage vers moi. Ses yeux clairs dont j'ai hérité, un œil bleu, un œil vert, sont à peine dissemblables à la lumière de la télé. Il me regarde fugacement, il n'est pas sûr de pouvoir me dire ce qu'il a sur le cœur.

— On y pense... Parfois, j'ai envie de tout recommencer...

Mais qu'ont-ils donc à se prendre pour des débutants ? Je pique du nez dans mon tee-shirt rose. Je l'ai acheté en solde il y a deux semaines et il a déjà l'air d'avoir eu trois vies. Il est l'heure de me préparer. En allant vers la salle de bains, je fais un crochet par la chambre de Paul qui ne ressemble plus du tout à la chambre que j'ai connue. C'est l'antre d'un vagabond qui prépare un départ définitif. Seule la petite statue amérindienne que sa marraine lui avait offerte pour ses neuf ans trône toujours dans sa bibliothèque. Je passe les doigts sur le visage d'ébène — l'arête aiguë du nez, l'ourlet de la bouche, le détail des yeux et de la coiffure me fascinaient quand j'étais petite.

Quelques minutes plus tard, je suis dehors, fuyant plus que je ne la quitte notre résidence dont le jardin encore ensoleillé est désert, me postant à l'arrêt du bus qui doit m'emmener place de la Victoire. Tout a changé si vite. Le café qui s'appelait le « Bar sans nom » est devenu le « Rendez-vous sans importance », et devant l'école d'infirmerie le trottoir semé de gravier a été goudronné. Notre quartier était un village, il est devenu un carrefour dont l'artère principale, rectifiée, élargie, ressemble à une banlieue américaine — c'est du moins ainsi que je les imagine.

La chaleur a sensiblement baissé mais pas un souffle d'air ne remue les feuillages étiques des robiniers qui bordent l'allée, de l'autre côté. Enfin, le bus arrive, avec ses portes qui soupirent et son odeur de mauvais skaï. Une femme est assise, son bébé sur les genoux, le regard vide. Une goutte de sueur perle à son front tandis que son enfant dort, le visage écrasé contre sa poitrine, les cheveux humides de transpiration. Moi aussi, j'ai envie de dormir.

Au Marsa, Paul m'accueille d'un grand geste de la main. Il est entouré d'amis, me présente à eux, Jean-Pierre, Jean-Yvon, Jean-François, c'est à croire que tous les garçons de vingt ans ont un prénom composé.

Mon frère boit du vin, fume quelques cigarettes, mange bien davantage qu'à la maison. Au Marsa, on sert le meilleur couscous de la ville, c'est du moins ce qu'on raconte. Je n'ai jamais vu Paul si joyeux, si extraverti. Il y a quelque chose d'un peu surjoué dans sa voix, mais nous sommes à moitié ivres et Jean-François me plaît, avec ses yeux bruns, ses cheveux longs et son humour bienveillant. Il me courtise discrètement, je me détends peu à peu, je ne pense même plus à demander à mon frère s'il est au courant que les parents veulent vendre Malgenêt.

Le repas se termine très tard, c'est le patron du Marsa qui nous dit, allez, mes enfants, ouste, on va fermer. Il a beau nous aimer bien, il a envie de rentrer chez lui. On lui propose de boire un dernier verre avec nous mais non, il refuse, il a une famille, il est fatigué. Sur le cours de la Somme, la nuit a fait le vide. Les façades noires, les enseignes éteintes, les passants couchés. Où sont les gens ? je demande, et tout le monde s'esclaffe.

Mon frère me ramène sur son vélomoteur, un Peugeot que des années plus tard, revenue à Bordeaux, je me ferai voler place Gambetta.

L'air est doux, mes bras enserrent la taille de Paul, ma joue repose contre son dos. Je me sens en sécurité, en dépit de cette pétrolette que les pavés font rebondir comme une vulgaire bicyclette. En bas de l'allée en béton bistre, nous éteignons le moteur pour ne pas réveiller le voisinage, mais dès que nous descendons du vélomoteur, nous apercevons la police et des gens au bas de notre immeuble, à l'aplomb de la grille mauresque. Des jeunes gens éméchés surtout, et parmi eux, notre voisin du cinquième, M. Binet.

Ça sent le brûlé, une odeur de goudron et de plastique fondu. On voit mon père, c'est le plus grand, il est parmi les autres, essayant de parler, montrant la façade et portant la main à sa tempe. À ses pieds, il y a une chose calcinée. Je me faufile jusqu'à lui, glisse mes doigts sous son bras, l'entraîne un peu à l'écart, papa, ça va ?

— Le petit chat de M. Binet est tombé par la fenêtre, nous dit-il. Il était en feu…

Il rentrait en voiture, tard, lui aussi — il n'y a pas que ses enfants et sa femme qui profitent du désastre familial. Il traversait l'allée quand le chat est tombé du cinquième étage.

— J'ai cru que c'était une boule de feu, ajoute-t-il.

— Mais pourquoi il flambait ? je demande.

76

Mon père ne répond pas, il secoue la tête, le regard rivé à M. Binet qui pleure en répétant, je vais dire quoi à mon petit-fils, moi ? La police interroge les jeunes gens qui faisaient la fête au troisième. Je pense tout à coup à Malgenêt, et j'ai la conviction qu'on va tout vendre, Malgenêt et le reste, nos souvenirs, le passé, notre enfance. Devant le cadavre du petit chat, je pense à tout ce que nous sommes en train de perdre. À cette vie heureuse que nous allons brader faute d'avoir eu conscience qu'elle était éphémère et précieuse.

La police emporte le chat dans un sac. À sa place, sur le béton bistre, une tache noire dessine la forme d'une fleur. Le vent s'est enfin levé, qui mêle des odeurs de mimosas et de cendres. Mon père me prend par l'épaule et m'embrasse le front, il cale sa main sur la nuque de Paul. Il a l'air si triste que, pour la première fois depuis longtemps, je repose ma tête sur sa poitrine.

6

Brioche, Grégoire et Viviane
(1984)

À l'époque, tout le monde l'appelait Brioche parce qu'il avait toujours un petit sac de brioches quand il arrivait au cours. Et comme il était gentil, il les partageait avec nous. Une part modique nous suffisait, nous étions si affamés. On voyait arriver sa silhouette replète de l'autre côté du pont, ou bien son bonnet bleu surgir en haut de l'escalier, ce bonnet de laine dont il se séparait à grand-peine. On se moquait de lui mais il tenait bon. C'est ta grand-mère qui te l'a tricoté, Brioche ? Il répondait, je vous emmerde, et il rigolait avec nous. Ce jour-là, c'était en février je crois, la neige tombait depuis plusieurs jours, nous étions excités comme des puces parce que le directeur nous avait annoncé la venue de Claude Jade. Brioche était amoureux d'elle depuis qu'il l'avait vue dans *Baisers volés*. Il m'en avait parlé des milliers de fois. J'avais vendu la mèche, il m'en voulait. J'avais renoncé à me faire pardonner, mais je n'aimais pas quand Delmas se foutait de lui, tu crois que tu as tes chances avec la petite fiancée des Français ? Brioche haussait les épaules. Laurent Delmas était intouchable, c'était une star. On l'enviait tous parce qu'il était beau et qu'il avait un talent fou. Il n'avait aucune sorte d'aménité, ça non, mais quand il montait sur scène, le cours affichait complet.

Brioche essayait de faire bonne figure devant Delmas, bien qu'il fût mortifié, je le savais. Il aurait été mieux inspiré de s'enticher de Delphine Seyrig ou de Bernadette Lafont, elles étaient plus glamour, plus extravagantes, mais non, c'était la petite fiancée des Français qui le faisait rêver et, d'ailleurs, il assumait son amour avec un certain panache. Il avait vingt et un ans. On pensait tous qu'il se marierait un beau jour avec une copine et que Claude Jade lui sortirait de la tête.

En fait, Delmas avait beau faire le malin, il était lui aussi impatient de voir l'actrice. Elle n'était pas n'importe qui et il aimait Truffaut, comme nous tous. Moi, j'aurais préféré rencontrer Jean-Pierre Léaud, mais le directeur ne m'avait pas demandé mon avis.

Nous étions là, rassemblés autour de la machine à café en haut de l'escalier, attendant Brioche. Delmas était nerveux, il parlait fort. C'était la première fois qu'on le voyait dans cet état. Le directeur lui avait demandé de dire son monologue devant Claude Jade. Cela l'emplissait de fierté, mais il était démesurément agité alors qu'il n'y avait pas d'enjeu, on savait bien que cette femme ne pouvait pas grand-chose pour nous. Elle s'était absentée des écrans ces derniers temps, et répétait *Le faiseur* au théâtre. Elle n'avait jamais été une star, elle était juste celle que Truffaut avait choisie pour jouer Christine Darbon, la bien-aimée d'Antoine Doinel.

Vers midi, Viviane Hardy est arrivée, jolie comme un

cœur, gaie comme un pinson, mais transparente, personne ne la remarquait à part moi. On a commencé à s'inquiéter de l'absence de Brioche sachant que la salle fermerait une fois le cours entamé. On a entendu la voix du directeur qui résonnait dans l'escalier, une voix de baryton qu'on reconnaissait entre toutes. On a entendu ses pas aussi, et ceux plus légers de son accompagnatrice. Brusquement, elle s'est retrouvée parmi nous, sur le palier exigu, devant la machine à café. Elle avait l'air intimidée. François, le directeur, a fait les présentations. Puis Jean-Yves, notre professeur, a surgi. Il m'a demandé : Brioche n'est pas là, Grégoire ? J'ai répondu : Non, c'est bizarre…

Le temps de faire visiter les locaux à l'actrice, de lui offrir un café, de parler un peu et de gagner la salle principale, vingt minutes s'étaient écoulées. Brioche n'avait toujours pas donné signe de vie.

François et Jean-Yves m'ont interrogé du regard, j'ai fait une moue qui signifiait que je ne savais pas. Nous nous sommes installés dans la salle principale, la plus grande, et Claude Jade s'est assise au premier rang, entre le professeur et le directeur. J'étais juste derrière elle, le regard aimanté par son profil quand elle se tournait vers l'un ou l'autre. Elle avait l'air d'une jeune fille malgré ses trente-six ans. Ses cheveux étaient ramenés en arrière, découvrant ses oreilles un peu décollées et ce regard candide, qui semblait découvrir le monde.

On a fermé la porte et mis la lumière rouge, comme à la radio. Laurent Delmas est monté sur scène. Il était moins drôle que d'habitude mais, depuis le temps qu'il le peaufinait, son numéro était au point. Après lui, Carole Jasper a joué Elvire, Viviane et Lili ont interprété une scène de Goldoni, et Dominique, sombre et concentrée, s'est glissée dans la peau de Phèdre.

Je suis resté dans la salle, derrière Claude Jade qui, à la fin, a félicité tous ces jeunes gens si prometteurs. Une dizaine d'entre nous se sont approchés d'elle. D'une voix douce, elle dispensait quelques conseils, nous parlait de ses rôles, de son travail et de François Truffaut. Elle était allée le voir la veille. Il se sentait faible, mais il allait mieux, il était sûr de guérir très vite. Je ne me souviens pas qu'elle ait fait davantage que cela : nous encourager dans notre vocation en nous donnant l'image d'une vie simple et discrète.

Vers quatorze heures, elle a pris son manteau et le directeur l'a aidée à l'enfiler. C'était un manteau rouge à capuche. Ils ont quitté la salle ensemble, traversé le corridor et disparu dans les escaliers. François avait l'air d'un ogre, et elle, auprès de lui, du Petit Chaperon rouge.

— On va au Saint-Louis ! a lancé Delmas quelques minutes plus tard.

Nous l'avons suivi aussitôt, même ceux qui n'avaient pas de quoi s'offrir un café. Nous sommes arrivés à l'angle de la rue des Deux-Ponts lorsque je me suis aperçu que j'avais oublié mes cigarettes près de la machine à café. Je leur ai dit de continuer sans moi, que je les rejoindrais, et j'ai fait demi-tour.

Nelly, la secrétaire, était toujours dans son bureau. Elle avait les yeux pleins de larmes et un mouchoir sous le nez. Je lui ai demandé si elle avait vu mes clopes qui n'étaient plus là où je les avais laissées. Elle m'a offert un paquet de Winston en relevant ses yeux mouillés. Je me demandais ce qu'elle attendait de moi. J'ai tendu la main pour prendre les clopes. Elle a éternué avant de lancer, eh, Grégoire, je t'en propose une, pas le paquet !

Je suis ressorti furieux d'avoir paumé mes cigarettes. Quai d'Anjou, je suis tombé sur Brioche. Il avait l'air si malheureux que mon premier réflexe a été d'essayer de l'éviter. Il tenait son bonnet à la main, les yeux sur ses chaussures. Il faisait un temps clair, un beau jour d'hiver avec un ciel bleu, solide. Il m'a vu.

— Salut Zeller ! Quel con je fais ! Je suis arrivé trop tard…

Je n'ai pas répondu. Il a répété, quel con je fais ! J'avais envie d'une cigarette mais il ne fumait pas.

— Les autres m'attendent, tu viens ? ai-je proposé.

Il a secoué la tête, a remis son bonnet sur la tête et s'est éloigné.

Je n'étais sans doute pas l'ami dont il avait besoin en cet instant car j'avais envie de rejoindre le groupe, je me sentais mal hors de la meute à cette époque. Au Saint-Louis, il n'y avait plus de place et personne ne m'avait gardé une chaise. Delmas bouffait un hot dog énorme recouvert de fromage gratiné, et les autres le regardaient mâcher. Vincent Lamarque était au bar, je me suis mis à côté de lui, histoire de lui taper une cigarette. Il tirait sur des Gallia pour épargner sa gorge, c'était infect mais j'en ai fumé une. Sympa cette fille, hein ? a-t-il lâché. J'ai dit oui mais je ne savais pas de qui il me parlait. Je supposais qu'il s'agissait de Claude Jade.

Et puis, brusquement, je suis sorti du café et j'ai couru vers la station de métro Pont-Marie pour rattraper Brioche.

Il était encore là, assis sur le banc, le dos contre une affiche de *Rusty James,* qu'on était allé voir deux jours avant. Je me suis assis à côté de lui, en reprenant ma respiration. La rame de métro est arrivée, j'ai retenu Brioche par le bras, tu veux qu'on aille prendre un verre ou tu rentres chez toi ? Il s'est levé et je l'ai suivi. Tu m'invites ? ai-je demandé. Il a dit, O.K.

Nous n'avions pas échangé un mot durant le trajet, ni après dans les couloirs. Il fallait changer deux fois pour arriver à destination, il habitait à l'autre bout de Paris, c'était insensé. En bas de chez lui, il m'a prévenu, tu sais y'a un bordel pas possible...

Il vivait dans une chambre sous les toits, au septième étage sans ascenseur. Il valait mieux n'avoir rien oublié quand on rentrait au bercail. Mais il avait l'habitude, il grimpait comme un montagnard. Une fois en haut, il m'a indiqué le lit pour que je m'y assoie. Il n'y avait pas le choix de toute façon. Il a allumé un petit réchaud pour préparer du thé. Ça sentait les ordures dans sa piaule, mais il faisait trop froid pour ouvrir. On s'habitue..., m'a-t-il dit comme s'il devinait mes pensées.

Il a mis les sachets de thé dans des mazagrans, a versé l'eau bouillante. Il se tenait agenouillé.

— Je me suis pas réveillé, a-t-il murmuré. Tu crois ça ? Non mais tu le crois ? Avoue que je suis le roi des cons !

— Tu sais, si tu veux la voir, Nelly te filera son téléphone...

— Non ça sûrement pas. Je lui dirais quoi ?

— Elle répète au théâtre en ce moment, tu pourrais y aller...

Il a suspendu le sachet de thé au-dessus de sa tasse, l'a pressé entre l'index et le pouce. Il résistait à la brûlure, tout son corps en équilibre sur ses genoux, prêt à vaciller.

— Je sais bien que vous pensez tous que c'est un béguin de gosse, qu'on ne tombe pas amoureux comme ça d'une actrice qu'on a vue au cinéma…

— Non, je ne pense pas ça…

— Oui, tu le penses, mais tu te trompes, cette femme je l'aime vraiment. C'est inexplicable mais je l'aime.

— Elle est mariée, tu sais…

— Oui, je sais… Ce n'est pas ça le problème…

Pour le coup, j'étais d'accord avec lui : c'était lui, le problème. Il fallait être illuminé pour s'enticher à ce point d'une personne qu'on ne connaissait pas. À l'époque, je pensais qu'il n'aimait qu'une image.

— Je vais te montrer un truc, m'a-t-il dit.

Il s'est levé et s'est mis à chercher dans une malle qu'il utilisait comme table basse. Il l'avait recouverte d'un tissu ethnique et y avait posé un vase. Il a ôté le tissu, a relevé le couvercle de la malle et en a extirpé une photo de l'actrice qu'elle lui avait dédicacée en 1978.

— Elle jouait *Intermezzo* à Lyon. Je l'avais croisée chez une amie… On avait un peu parlé…

— Tu es de Lyon ?

— Oui. Elle est de Dijon, elle…

Il en revenait toujours à Claude Jade.

J'ai bu lentement mon thé, gorgée après gorgée. J'avais horreur de cette boisson mais Brioche ne m'avait pas offert autre chose, à part quelques gâteaux secs qui se battaient en duel dans une boîte en fer. Il a repris la photo

84

que j'avais posée par terre, l'a tendue devant lui, à hauteur de ses yeux.

— C'est curieux cette impression que quelqu'un est parfaitement fait pour toi, qu'il n'y en a pas d'autres, que c'est elle…

Je me suis raclé la gorge et j'ai croqué dans un biscuit parce que le thé me donnait envie de vomir. Je songeais aux sept étages qu'il allait me falloir dévaler si je partais, au froid qu'il faisait, à toutes les filles avec lesquelles j'avais bien l'intention de coucher dans un avenir que j'espérais proche. Il a repris :

— Et toi, tu aimes quelqu'un que tu ne peux pas avoir ?

J'ai cessé de mastiquer. J'ai fait mine de chercher.

— Viviane Hardy, elle te plaît, non ?

Oui, elle me plaisait et je ne la touchais pas davantage que lui ne touchait Claude Jade. J'ai fait une grimace, la bouche en avant, et j'ai dit :

— Quand je les vois, toutes, elles sont si jolies, c'est invraisemblable… Pourquoi il faudrait choisir ?

— En attendant tu n'en as aucune.

— C'est vrai mais je m'en fous. J'ai le temps… On a le temps…

— Oui, on a toute la vie, a-t-il admis.

Il était déjà seize heures et je me suis rappelé que j'avais un rendez-vous. Nous nous sommes quittés en nous serrant la main. Nous n'étions pas du genre à nous embrasser.

Dans la rue, j'ai décidé de marcher au lieu de prendre le métro. Le Sud me manquait et le moindre rayon de soleil me faisait traverser la rue pour essayer d'en profiter. Je me suis mis à compter les semaines qui me séparaient des grandes vacances. Mes parents et ma sœur se languissaient de moi à Montpellier, et ils me manquaient aussi, mais ils ne me donnaient pas assez d'argent pour que je vienne les voir plus souvent. Ils semblaient s'être résignés au fait que nous devions nous retrouver en juillet, pas avant. Un simple week-end avec eux m'aurait pourtant fait du bien. Brioche m'avait déprimé. J'étais effrayé par son entêtement, je songeais à ma propre vie sentimentale qui était un désert. Je me demandais comment faisaient les autres. Delmas, je savais. Il avait de l'argent et, tous les soirs, il allait à l'Opéra, un restaurant chic où dînaient des célébrités. J'avais tendance à croire que l'argent résolvait bien des soucis, que d'en manquer à ce point réduisait ma marche de manœuvre. Aurais-je eu le cran d'inviter Viviane Hardy à dîner si j'avais pu l'emmener à la Tour d'Argent ? À la vérité, fric ou pas fric, j'étais trop timide, et si je m'étais à ce point mis en tête de devenir acteur, c'était parce que le théâtre était la seule chose qui me donnait du courage.

En arrivant à Paris, je m'étais dispersé. J'avais perdu mon temps durant deux ans dans un cours pas cher où j'allais le moins possible, après quoi, j'avais fait une tournée minable dans un rôle de quasi-figurant, mais là, je reprenais espoir. Même si je m'étais inscrit à l'école trop tard pour préparer le conservatoire. Cela m'arrangeait de penser qu'une année de plus viendrait à bout de mes problèmes personnels. Brioche était comme moi. Il espérait grandir plus vite en montant sur scène.

Durant les mois qui ont suivi la visite de Claude Jade, nous n'avons guère parlé tous les deux. Je crois que je l'évitais. Je ne me le disais pas de cette façon mais c'est un fait, chaque fois que nous avions l'occasion d'être ensemble, je me dérobais. Lui-même ne recherchait pas ma présence. Il s'était mis en tête de monter un spectacle avec quelques amis et ne m'avait pas proposé d'y participer. Cela m'avait soulagé dans un premier temps puis dépité peu à peu.

Lorsqu'en septembre, nous nous sommes revus, Brioche et moi, nous nous sommes embrassés comme des frères. Laurent Delmas venait d'être engagé au théâtre de Ville-juif, dans un spectacle pour enfants qui tournait depuis trois ans, *La Grande Main de Faragaladoum*. Il remplaçait un comédien qui était tombé malade, mais c'était plus fort que lui, il traînait toujours aux cours. Truman Capote était mort et Viviane Hardy préparait le conservatoire d'arrache-pied, je lui donnais la réplique dans *La Surprise de l'amour* de Marivaux. Lorsqu'elle a été reçue, j'ai eu la faiblesse de croire que c'était un peu grâce à moi. Le soir de son succès, je l'ai emmenée dîner à la Tour d'Argent, dépensant en une fois tout l'argent que mes parents m'avaient envoyé pour Noël.

Au mois d'octobre, ni Brioche ni moi n'avions été pris nulle part, mais j'avais couché avec Viviane. Le matin du 22, on a appris la mort de François Truffaut. J'ai regardé Brioche qui avait les yeux vides. J'ai pensé à Claude Jade qui nous avait assuré, huit mois avant, que son Pygmalion allait mieux. Je ne ressentais rien de particulier sinon l'impression d'être à l'écart des sentiments communs. Brioche est venu vers moi et m'a dit :

— Je vais écrire un petit mot à Claude Jade. Je crois que cela lui fera plaisir.

Il n'a pas attendu ma réponse. J'ai hoché la tête, il avait déjà dévalé les escaliers. Je me suis assis à côté de la machine à café qui était en panne.

7

Laurent et Virginie
(1985)

C'est parce que Virginie a insisté qu'il est là, dans ce métro bondé, face à une femme dont les yeux se ferment. Elle n'a pas quarante ans et elle a l'air d'en avoir soixante. Il ne veut pas lui ressembler quand il aura son âge. En attendant, il enrage. Il aurait préféré laisser tomber ce rôle qu'il a accepté de reprendre l'an dernier et qui lui colle aux semelles. Tu passes ta vie à faire des castings et tu ne travailles jamais ! peste Virginie. Tu t'imagines quoi ? Que ta belle gueule va suffire ?

Elle n'est pas tendre avec lui, c'est peut-être pour cela qu'il n'arrive pas à rompre. Elle lui plaît avec cet air résolu qui lui ferme les traits, cette voix rauque qui gronde et rit dans la même note, ce visage d'enfant qui se crispe à la moindre contrariété. Il a pensé qu'elle n'avait pas tort, qu'il devait accepter de reprendre les habits du prince, même s'il n'avait pas choisi ce métier pour faire le pitre devant des gosses, fût-ce dans un conte pseudo-orientaliste écrit par un metteur en scène has been.

— Elle a raison, Laurent ! Il faut bien bouffer, a soupiré Pauline Faudel quand Virginie a claqué la porte. Elle est la seule à savoir, Pauline, parce que, au fond, elle est comme lui. On lui ferait l'aumône si elle tendait la main dans la rue. Elle a l'air d'une pauvresse alors que sa mère a les moyens. Une femme aimable, d'ailleurs, sa mère, une romancière célèbre, rayonnante, anticonformiste et sympathique, c'est incontestable. Ses romans se vendent comme des petits pains, on parle d'elle dans les journaux féminins, c'est une reine que le tout-Paris courtise. Laurent l'a croisée une fois, rapidement, et il a été frappé par son calme, sa façon de le regarder gravement, avec solennité même. Ce jour-là, il a également compris à quoi ressemblait la maison où vivait Pauline. Quand il a eu besoin d'aller aux toilettes, il s'est aperçu qu'il n'y avait rien pour se torcher les fesses. Il a été obligé d'appeler Pauline qu'il considère comme une sœur, dieu merci, et elle lui a tendu un vieux journal en murmurant, euh pardon, il n'y a que ça... Dans la baignoire pleine à ras bord, il y avait de tout en revanche, flottant à la surface de l'eau ou ayant coulé : des chaussures, des feuilles de papier, une cage à oiseaux...

Depuis, il regarde Pauline autrement. Il la prenait pour une fille à papa et s'aperçoit que, comme lui, elle n'a pas la vie facile. Il comprend mieux pourquoi elle s'est toujours montrée réticente à l'idée de l'emmener chez elle, alors que chez elle, justement, c'est un vrai moulin. Elle ne peut pas dire que sa mère règne sur un empire disloqué, qu'elle a fait de sa maison un lieu de passage à défaut d'en avoir assuré l'harmonie intérieure, qu'elle ressemble à une bourgeoise mais vit comme une saltimbanque. Elle ne peut pas le dire mais elle en souffre. Et elle en souffre tout en aimant que sa mère soit différente des autres mères. Si ouverte, si généreuse, bohème au point d'en avoir fait un livre.

Laurent adore Pauline, il voudrait la protéger, il sent qu'elle n'est pas heureuse sous ses dehors souriants. Elle a de grands yeux bleus, des cheveux châtains, la peau très blanche et un front haut, bombé, comme celui d'une poupée. Au cours, elle fait merveille dans les rôles de soubrette. Avec son vieux pantalon en velours rouge et son pull bleu clair, elle a l'air d'un elfe malicieux. Ni homme ni femme, Pauline. C'est pour ça qu'il a immédiatement éprouvé pour elle un sentiment d'amitié sans une once de désir. Tandis que Virginie, il l'a violemment désirée au premier coup d'œil. Elle n'était pas la plus jolie ni la plus douée, mais quand il l'a vue monter sur scène pour la première fois et répondre bravement aux questions du professeur, il a eu envie de la toucher. Après quoi, il n'a eu de cesse de pouvoir le faire. Il se souvient encore de la question qui lui avait été posée : « Tu as fait quoi cet été ? » Elle avait hésité, elle avait cherché un peu, et tout à coup, elle s'était écriée : « Ah oui ! Je suis allée en Argentine ! »

Quand il pense à leur première nuit ensemble, encore aujourd'hui, il éprouve quelque chose comme une douleur. Cela ne les a pas empêchés de rompre au moins dix fois depuis. Et, dix fois, de revenir l'un à l'autre. Ils ne savent pas s'aimer sans se faire du mal.

En attendant, il se traîne jusqu'au théâtre. Une pluie fine s'est mise à tomber malgré le mois de mai. Il sent l'humidité gagner sa chaussette droite parce que sa chaussure n'est pas étanche. Mais il préférerait mourir plutôt que de demander de l'aide à ses parents. Accepte plutôt de reprendre ce rôle, a répété Virginie il y a une semaine. C'est ce qu'il a fait. Il est de nouveau le prince de *La Grande Main de Faragaladoum* où il est censé être amoureux de Marion Barthélemy dont l'haleine âcre l'indispose. Heureusement qu'il y a Sonia Pinget. Timide, effacée, mais amicale. Les deux filles étaient déjà là quand le spectacle a été créé il y a trois ou quatre ans. Elles étaient encore là quand il a été engagé en septembre dernier parce que le comédien qui jouait le prince était tombé malade. Les enfants adorent ce spectacle, si bien que la pièce est reprise à tout bout de champ. Et Marion Barthélemy et Sonia Pinget dont les carrières n'ont pas décollé malgré leurs efforts et le nombre insensé d'auditions auxquelles elles se sont soumises, se retrouvent face à face tous les six mois dans les rôles respectifs de la princesse et de la sorcière. Elles ne s'aiment guère, et le miroir qu'elles se renvoient d'année en année n'a pas favorisé leur amitié, loin de là. Elles ne sont pas rivales pour autant — Marion Barthélemy a bien obtenu un rôle conséquent l'an dernier dans un feuilleton médiocre, mais elle sait qu'il n'y a pas de quoi pavoiser.

— Je finis par la haïr, cette pièce, a confié Sonia à Laurent l'autre soir.

— Vous devriez échanger vos rôles avec Marion, comme ça, vous vous ennuieriez moins, a-t-il répliqué. Elle n'a pas répondu, elle a juste baissé la tête.

Elle a accepté de lui faire répéter son texte qu'elle connaît par cœur, depuis le temps.

— J'ai vu trois princes défiler, lui a-t-elle dit tout à coup. Mais c'est toi le plus mignon… Il lui a fait un clin d'œil.

Péniblement, il a revu son rôle et s'est aperçu qu'il ne

l'avait pas oublié. Le metteur en scène a l'air content. Il écoute sa petite troupe jouer et, parfois, ses lèvres articulent le dialogue en même temps que ses acteurs. Laurent le trouve pitoyable mais il fait bonne figure. Il n'a pas le choix de toute façon. Au moins avec les cachets de *La Grande Main de Faragaladoum*, il pourra avoir le nombre d'heures requis pour toucher les allocations. Sale métier, pense-t-il. Pourquoi le monde du dehors ne ressemble-t-il pas au cours où il est si heureux ? C'est le seul endroit où il se sente chez lui. Respecté comme un véritable comédien, adulé comme une star. Pourquoi Chéreau ne vient-il pas le voir là ? Et Pialat ? Et Rohmer ? Et Sautet ? Et Téchiné ?

Tu ne te donnes pas les moyens de réussir, lui répète Virginie. Elle en a de bonnes. Il a couru toutes les maisons de production de la capitale, son press-book sous le bras. Et les agents aussi. On le trouve beau, il passe un ou deux essais, on vous rappellera, mais il attend toujours. Les gens du cours croient qu'il est dilettante, qu'il se permet de refuser des contrats en or. C'est tout juste s'ils ne l'imaginent pas un cigare à la bouche en train de négocier avec Scorsese. La vérité, c'est qu'il n'intéresse personne. Un peu vert encore, lui a dit un type un jour, qui regardait ses photos avec attention. Vous devriez faire de la pub. Mais il ne veut pas. Il veut jouer, il veut qu'on lui donne sa chance.

Ce soir, c'est la dernière répétition de *La Grande Main de Faragaladoum*. Le metteur en scène a décidé de faire un filage — sans mettre la pression, a-t-il précisé, juste pour que vous soyez tous au diapason, qu'on retrouve la dynamique qu'on avait l'an dernier…

Laurent Delmas pense que c'est un rigolo ce type, un

illuminé qui se prend pour un grand auteur et un grand directeur d'acteur. Mais il lui obéit au doigt et à l'œil. Il fait ce qu'il lui dit de faire, va là, place-toi là, tu lui tends la main comme ça, tout doucement, ce sera plus joli, je ne t'entends pas, Laurent, je t'assure que je ne t'entends pas !

Il force la voix tout en pensant à autre chose. Cela fait une semaine que le calvaire dure et, à part Sonia avec qui il échange trois mots à la pause, il ne desserre pas les lèvres. Voilà, il est arrivé au théâtre. C'est un vrai chantier sur le plateau, mais il aime bien cette atmosphère de chaos qui précède les représentations. Les techniciens sont à la traîne, ils râlent parce qu'il manque une gélatine. Marion Barthélemy est de mauvaise humeur à cause de sa robe trop étroite. Laurent pense qu'elle est surtout trop décolletée, que ses seins volumineux ont l'air de deux ballons prêts à exploser. Il s'assoit côté cour, une cannette tiède à la main. Il feuillette les journaux sans les lire. Jean-Paul Kauffmann a été enlevé à Beyrouth. Il partait en reportage pour *L'Événement du jeudi* et il a disparu avec un chercheur du CNRS. Il se dit qu'il aimerait bien être enlevé lui aussi. Qu'on le retire quelques jours de sa propre vie.

— Bon vous êtes prêts ? crie le metteur en scène.

— Ça roule, on peut y aller, réplique un technicien.

Il essaie de savoir ce que cela fait d'être pris en otage. Est-ce qu'on a peur ? Est-ce que la curiosité prend le dessus ? Et si ça arrive juste au moment où on a envie de pisser ?

— Tu fais quoi ? demande Sonia qui s'est assise à côté de lui. Elle a les yeux maquillés outrageusement, ressemble à une petite fille qui serait tombée dans du charbon.

— Rien… Je ne fais rien… J'attends…

— Marion est furax. Elle a pris six kilos depuis l'an dernier. Elle ne comprend pas qu'on ne lui ait pas fait une nouvelle robe… Du coup, elle ajoute des voiles pour cacher son ventre !

— Je me demande comment elle a pu être engagée dans ce rôle, lâche Laurent tout en repoussant les journaux.

— Tu n'es pas habillé, toi ? gueule le metteur en scène qui est monté sur le plateau pour déplacer l'éléphant en paille.

— J'y vais, j'y vais…, murmure Laurent.

— Et un peu d'enthousiasme, oui, c'est trop te demander ?!!

Vingt minutes plus tard, le filage commence. Laurent débite son texte sans une erreur. Il est là sans être là. Il pense à Virginie et à Pauline. Il pense que Virginie n'est pas la femme de sa vie, qu'il doit trouver le courage de rompre. Il a toujours envie d'elle mais il n'est pas heureux quand ils sont ensemble. Lui, ce qu'il aime, c'est être entouré de ses amis, partager une soirée avec du monde, beaucoup de monde — et repousser l'heure de se coucher, vivre la nuit, tenir jusqu'au petit jour. Il donnerait tout pour avoir un rôle et partir en tournée avec une vraie troupe dans une vraie pièce. Ou alors, sur un tournage. Avec un metteur en scène qui lui parlerait de son rôle en détail, avec qui il apprendrait son métier — pas ce guignol qui fantasme sur un Orient de pacotille pour faire rire les enfants.

C'est la dernière scène. Il a failli rater sa sortie mais personne n'a rien vu à part Marion qui l'a fusillé du regard. Connasse, pense-t-il.

95

— Vous avez été formidables, dit le metteur en scène quand c'est fini. Alors, demain, on met les gaz, hein, on donne tout, hein ?

Il paraît tellement heureux que Laurent a pitié de lui.

Ils reprennent deux ou trois scènes pour la forme. Quelques déplacements qui laissent à désirer. Marion Barthélemy pose des questions. Il faut toujours qu'elle fasse sentir à quel point elle se comporte en professionnelle. Laurent ne peut pas s'empêcher de lui adresser une remarque sur ses seins. Fais gaffe quand tu te penches, lâche-t-il. Elle blêmit, se décompose, bafouille : mais... mais... pou... pourquoi tu dis ça ? Il ne répond pas, regarde seulement sa poitrine et pose ses mains sur son propre thorax pour qu'elle comprenne. Et puis, il tourne les talons.

Dehors, Sonia l'attend en fumant une cigarette.

— Tu sais quoi ? Jean-Louis Bénard, l'agent, tu vois qui c'est ?

— Oui...

— Il paraît qu'il va venir demain. Il cherche des jeunes comédiens...

— Sans blague ?

— Je t'assure ! C'est Michel qui me l'a dit...

— Michel ?

— Ben Michel, le metteur en scène !

— Il s'appelle Michel ?

Elle éclate de rire. Alors toi ! dit-elle. Allez salut !

Il la regarde s'éloigner. Elle est frêle, déterminée, désirable malgré sa minuscule claudication. Il aurait voulu aller prendre un verre avec elle mais elle a déjà tourné au coin de la rue et il est trop fatigué pour la rattraper. Bah, à quoi bon ? pense-t-il.

La pluie a cessé et un beau ciel de printemps apparaît avant la nuit, lumineux, éphémère. Il a envie de pleurer soudain, il ne sait même pas pourquoi.

Il s'engouffre dans le RER, s'endort comme une masse, se réveille juste à temps pour son changement. En bas de chez lui, il regarde sa fenêtre allumée. Virginie est là. Il monte les escaliers quatre à quatre, ouvre la porte, se jette dans ses bras. Elle s'esclaffe, se débat en riant, tu me fais mal ! Mais elle voit qu'il pleure et son beau visage devient grave, que se passe-t-il, Laurent ?

Il sèche ses larmes avec le revers de sa manche, rien, rien, ne t'inquiète pas, un coup de blues, rien de grave…

Elle n'en saura pas plus, elle le connaît assez pour deviner qu'il ne lui dira rien. D'ailleurs, il a déjà battu en retraite, fait diversion.

— Tu sais, il paraît que Bénard, l'agent, va venir à la générale, demain…

Virginie le regarde avec un grand sourire.

— Tu vois ! Tu vois que tu as bien fait d'accepter de reprendre cette pièce !

Il en convient. Il ajoute même, elle n'est pas si mal d'ailleurs, cette pièce…

Vautré sur le lit, il observe Virginie qui jette les pâtes dans l'eau bouillante en chantonnant. C'est tellement petit chez eux qu'il pourrait la toucher s'il se redressait un peu et tendait le bras. Seule la salle de bains est spacieuse. Pour le reste, ils ont réussi à faire tenir un bureau, des chaises, un lit, une plante verte et un fauteuil Voltaire dans moins de vingt mètres carrés. Un miracle. Ses yeux reviennent sur Virginie qui remue les pâtes. Elle a relevé ses cheveux, porte une robe un peu longue et fluide qu'il aime bien. De dos, elle ressemble à une vraie femme. C'est une gamine mais elle a l'air d'une femme. Une femme qui sait ce qu'elle veut. Qui s'active sans cesse, qui n'arrête pas. Elle a raté le concours du conservatoire l'an dernier, sans pour autant s'avouer vaincue. C'est pour ça qu'il l'admire. Elle ne rend jamais les armes. Elle va son chemin, se relève toujours. Il sait qu'elle n'est pas faite pour ce métier, mais il reconnaît qu'elle se bat sans se plaindre. Il trouve qu'elle a du cran. Pauline non plus ne sera jamais comédienne, il en est certain. Trop fragile, écrasée par la réussite de sa mère. Et puis ni Virginie ni Pauline n'ont son talent. Il est au-dessus du lot, il suffit de mesurer l'aura dont il jouit au cours. Virginie a beau lui dire que le cours, il ne va pas y passer toute sa vie, il sait que pour s'y être imposé aussi vite, il faut bien du talent. Il n'est pas seulement beau, il est d'une trempe à part. Celle des grands. Il n'a que vingt-deux ans mais cela, il le sait. Demain, il brillera comme un astre dans *La Grande Main de Faragaladoum*. On ne verra que lui. Éclipsées Sonia Pinget et Marion Barthélemy, cette grosse vache. C'est lui qui triomphera, qui leur volera la vedette sans même avoir à faire d'effort. Juste parce qu'il irradie.

— Les pâtes sont prêtes, annonce Virginie.

Il n'a pas faim mais il se force pour lui faire plaisir. Après, ils feront l'amour et elle croira qu'il l'aime. Elle ne se doute pas qu'il va rompre, qu'il n'en peut plus de cette vie de petit couple qui n'a pas un centime et feint de mépriser l'argent. Il a l'impression de jouer à la dînette, de ne pas être dans sa vie. Il pense : si Bénard me prend dans son agence, je largue Virginie. Il se trouve ignoble mais il s'en fiche. Les artistes sont des monstres, songe-t-il avec satisfaction.

Le lendemain, il reste au lit jusqu'à midi. Virginie s'est levée tôt, elle est allée travailler dans son cabinet d'avocats où elle trie le courrier, colle des timbres, répond au téléphone et sert le café à des hommes en costume qui la traitent avec bienveillance. Elle ne gagne pas grand-chose, mais au moins, elle peut payer le loyer du studio. Elle a décidé de quitter le cours de théâtre en octobre, de préparer le conservatoire et d'arrêter les frais si elle échoue encore. Elle finira dans un bureau, pense-t-il.

Il se lève, se prépare du café, allume sa première cigarette. Il fait beau. On est le 25 mai et une ardeur nouvelle le pousse dehors. Il décide d'aller courir, chausse ses tennis, enfile un survêtement, démarre en trombe, gagne le stade de la porte de Montreuil, s'essouffle, ralentit, marche. Il a un point de côté et ses poumons le font tousser. Trop de clopes, depuis trop longtemps. Il a commencé à fumer à quatorze ans. Ses parents ne le savaient pas. Si sa mère l'avait embrassé plus souvent, elle se serait peut-être rendu compte qu'il sentait le tabac.

Du coup, il allume une cigarette et flâne. Le vent a de grandes respirations qui charrient les odeurs du périphérique. Il a envie de vomir. Sa belle ardeur est passée.

De retour au studio, il boit un nouveau café, allume une autre cigarette, ouvre un livre de Dostoïevski, s'aperçoit qu'il ne lit pas, que sa pensée vagabonde, qu'il commence à être inquiet. Mais pourquoi je... ? s'énerve-t-il contre lui-même. Il va se doucher, ausculte son visage dans le miroir dont il a essuyé la buée. Le metteur en scène voulait qu'il se laisse pousser la moustache pour jouer le prince mais il a refusé. Il a prétexté qu'il n'avait pas assez de poils, que ce serait ridicule. Il s'allonge de nouveau, contemple la fougère suspendue sur le mur d'en face, espère que Virginie va rentrer, l'appelle au bureau. On lui dit qu'elle est sortie, vous voulez que je laisse un message ? Il se ravise, s'excuse, non, non, ce n'est pas grave, je rappellerai. Il se rendort.

Virginie le réveille en rentrant. Il a somnolé tout l'après midi, elle le voit tout de suite — et tout de suite aussi les tennis sales qu'il a laissées dans le couloir. Elle l'embrasse du bout des lèvres, pleine de reproches. Il la connaît par cœur. Elle lui en veut de ne pas avoir fait la vaisselle, d'avoir inondé la salle de bains, d'avoir fumé, de ne pas avoir fait les courses, d'être resté au lit toute la journée. Il la déteste — autant qu'elle le déteste sans doute, à ce moment précis où elle est là, immobile devant lui, prête à aboyer parce qu'il n'a rien fait et qu'elle est fatiguée.

— Mais je joue le soir, moi ! se défend-il déjà alors qu'elle n'a rien dit.

Elle rit d'un mauvais rire. Il claque la porte, de toute façon, il est l'heure d'aller au théâtre.

Quand il arrive à Villejuif, sa décision est prise : il va quitter Virginie, quoi qu'il arrive. Sonia lui dit à peine bonjour, elle est nerveuse. Ils entendent déjà la salle qui se remplit, les cris des gosses, le brouhaha des adultes, tous ces parents qui ont entendu dire que le spectacle était un très joli conte et que leurs enfants passeraient une soirée inoubliable. Le metteur en scène jaillit, dans tous ses états.

— Vinowski est là, vous vous rendez compte ?

Laurent Delmas ne se rend pas compte, non, il ne sait pas qui est ce Vinowski mais à en juger par l'état du metteur en scène, ce doit être le grand mufti d'Orient. Et Bénard ? demande-t-il.

— Il est là aussi, au premier rang, avec ses amis…

Marion Barthélemy est excitée, elle court partout avec ses voiles qui prolongent d'un sillage délicat sa solide silhouette. Laurent fait un clin d'œil à Sonia qui sourit tristement. Son cœur bat violemment, c'est la première fois qu'il éprouve la sensation de ne pouvoir gouverner ses émotions. Il a déjà eu le trac mais cette panique qui l'ensevelit peu à peu, il ne l'a jamais connue. Il entre en scène, les projecteurs l'éblouissent, il articule son texte comme il peut, se retourne brusquement, voit Marion Barthélemy dont les seins menacent de déborder du corset, regarde la salle dont il perçoit la masse silencieuse, bien disposée d'abord, puis troublée, embarrassée à mesure qu'il répète sa phrase sans pouvoir enchaîner. Il sent la sueur poisser son front, dissoudre ses mots, mettre au jour ce qu'il est vraiment, un comédien sans talent, sans ressource — un imposteur. Il ferme les yeux, manque de perdre l'équilibre, se rétablit, entend Sonia qui improvise, bredouille des mots incompréhensibles. À bout de souffle, il quitte le plateau en courant, passe à deux doigts de renverser l'éléphant. Il s'assoit par terre, dans l'ombre des coulisses, la tête entre les mains. Sonia et Marion ont réussi à retomber sur leurs pieds et entament leur longue scène du premier acte. Il a été ridicule et ses genoux tremblent encore. Le metteur en scène arrive, s'accroupit devant lui, pose ses mains sur ses cuisses. Il remarque qu'elles sont longues et fines.

— Laurent ? murmure-t-il.

Il ne dit rien, garde la tête baissée.

— Tu dois revenir dans la pièce, mon grand, tu dois te ressaisir, lui dit Michel d'une voix si douce qu'il en éprouve une souffrance. Il lève enfin les yeux, contemple ce type qu'il méprise et qui le regarde avec calme en répétant, tu dois te ressaisir, c'est cela être acteur, et tu es un acteur, crois-moi, j'en ai vu défiler un paquet...

Il prend une grande inspiration, plonge ses yeux dans ceux de Michel qui sont noirs et brillants comme les galets qu'il ramassait, enfant, sur la plage.

— Allez, redresse-toi, « Mesdames, quel bonheur de vous voir encore ensemble, belles et souriantes dans le soir qui frissonne... », allez, tu as encore quelques minutes pour revenir dans la pièce, tu vas y arriver, tu es un prince et un prince ne démissionne jamais !

Laurent est tout à coup pris d'un fou rire, mais il se lève, respire de nouveau, hoche la tête, bafouille, c'est bon, c'est bon... Il va se placer derrière l'éléphant de paille dont les faux diamants illuminent la croupe, pose son front contre son flanc et murmure, allez, vieux frère, on n'a plus rien à perdre de toute façon...

8

Pauline

(1985)

J'avais alors, en permanence, une douleur dans la tête. Aiguë parfois, comme si un mauvais génie m'avait percé le tympan avec une vrille fine. En sourdine, le plus souvent, dieu merci — c'était alors un mal supportable mais pénible parce qu'il me rappelait sans cesse à quel point j'étais vulnérable, à quel degré de précarité mes jours étaient suspendus.

À cette époque, je n'avais pas conscience de vivre les pires années de ma vie, mais bel et bien je les vivais. Petite et pâle, pas très jolie, boulotte puis maigre à faire peur, je passais mon temps à m'agiter comme un clown. J'avais appris ça de ma mère bien que son humour à elle fût d'autant plus corrosif qu'il émanait d'une voix douce et d'un visage paisible.

Ce jour-là, un jour glacial, j'ai compris à quoi ressemblerait mon existence si je ne faisais aucun effort pour établir avec le monde un rapport neuf, radicalement différent. La nuit était déjà tombée, c'était le terme d'une journée d'hiver où la douleur dans ma tête était presque endormie, où ma mère rayonnait — de cette puissance de feu qui déjà annonçait le déclin —, où le froid était entré chez nous en traître : on était un 13 novembre et le chauffage ne marchait pas. Ma mère riait avec Rose-Marie qui, derrière le piano, ne pensait qu'à chanter et à mettre en musique la litanie de ses déconvenues amoureuses. J'étais emmitouflée dans un grand pull, recouverte d'un plaid, et même ainsi, frigorifiée, au point que j'avais accepté d'avaler une soupe brûlante, moi qui ne mangeais plus depuis six mois, après avoir été boulimique, passant spectaculairement de 57 à 38 kilos pour 1,59 mètre, et m'entêtant dans ce dégoût de moi au point que l'ironie impériale de ma mère avait peu à peu cédé à une sorte d'épouvante dont les manifestations diverses, je suis obligée de le reconnaître, me faisaient plaisir. Je n'étais plus seulement pour elle un problème, je devenais une présence susceptible de fondre, de s'évaporer, de disparaître.

Ce 13 novembre-là, quelqu'un d'autre menaçait de disparaître, à l'autre bout de la planète — et disparut de fait, au terme d'une lutte poignante : tandis que j'ingurgitais ma soupe devant la télévision, j'assistais au naufrage d'une fillette ensevelie par la boue. Dans mon dos, Rose-Marie et ma mère avaient suspendu leur babillage. Elles s'approchaient de l'écran doucement, comme si elles redoutaient que de brusques mouvements fassent fuir l'image. Elles ne riaient plus. Elles fixaient le visage exténué de la petite, et ma mère, de ses grands yeux liquides, effrayants de transparence, semblait absorber ce qu'elle voyait.

— C'est insensé quand même, qu'on n'arrive pas à la sortir de là ! a fini par s'écrier Rose-Marie.

Mais ni ma mère ni moi ne lui avons répondu. La caméra filmait l'enfant en plongée et le monde pouvait observer son regard inquiet mais déjà absent, sa ténacité muette. C'était une lente noyade, malgré l'espoir d'arriver à extraire des eaux sombres ce petit corps de douze ans, malgré l'effort continu de la fillette encouragée, réconfortée, entourée par les sauveteurs impuissants, malgré la foi de tous en la technologie moderne, y compris dans cette vallée colombienne, y compris lorsqu'il s'agissait d'affronter les forces de la nature.

Elle avait les jambes coincées. Les eaux boueuses, montées d'heure en heure, alimentées par des torrents formés en amont par l'éruption du volcan, ne voulaient pas relâcher son corps menu, dont n'était visible à présent que la tête. Je regardais les yeux de cette gamine qui s'appelait Omayra, ses cernes qui rendaient ses traits plus vulnérables encore, ses cheveux courts et noirs, mouillés, et je me disais : elle a douze ans et elle va crever devant le monde entier.

Ma mère alors, si gaie habituellement, si joviale, détestant toute forme de pathos mais séduite à l'occasion par un certain suspense — il suffisait de voir avec quelle affectation elle pouvait parler —, ma mère alors me prit le bras sous le plaid et en le serrant anormalement, s'adressant à moi mais évitant mes yeux, murmura : Tu vois, Pauline, pourquoi j'écris ? J'écris pour dire que nous avons été là...

Sur le moment, j'avais trouvé sa phrase absurde, déplacée — de quoi se mêlait-elle avec ses livres si vite lus quand une gosse était en train de jouer sa peau ? — puis presque menaçante à mon encontre : me disait-elle que j'allais mourir moi aussi, avant elle de surcroît, si je persistais à maltraiter mon organisme avec ce bel entêtement, et qu'elle était là, non pour me protéger, mais pour assurer ma mise en bière ? J'ai retiré mon bras de sa serre, haussant les épaules, bafouillant « n'importe quoi... » et, déprimée, je suis allée me coucher. Je pensais à Omayra, ou plutôt je pensais à son expression patiente, je pensais à la détermination de cette petite fille qui attendait en confiance qu'on la délivre, qui devait se dire que si tant de grandes personnes étaient rassemblées autour d'elle, elle était sauvée, que tous ces gens étaient bien assez nombreux, et sages, et intelligents, et motivés, pour trouver une solution, qu'en tout état de cause, on ne pouvait se noyer quand un si grand nombre de mains se tendaient, que tant de témoins se pressaient à quelques centimètres de soi.

Elle luttait de toutes ses forces, et en elle, je percevais non pas un courage qui m'avait désertée, mais une incompréhension, une déception douce qui étaient les miennes. J'étais devenue anorexique et ma volonté de disparaître m'échappait. Était-ce d'ailleurs la volonté d'en finir, ou le sauvage besoin de réduire mon corps après l'avoir gavé, non pas tant pour le punir que pour le ramener à des proportions convenables et, ce faisant, le rendre aussi étroit que celui d'un adolescent, d'une maigreur visible, palpable, famélique ? Je savais bien que si j'étais devenue maigre, après avoir été grosse, ou tout au moins bien en chair, c'était pour me débarrasser de tous ces poisons que, durant des mois sinon des années, j'avais absorbés dans des quantités gargantuesques. Il y avait une époque où dans les rues de Paris, avec Laurent Delmas, je m'arrêtais dans toutes les boulangeries pour acheter des croissants, des brioches et des pains au chocolat, les avalant sur le chemin, et renouvelant mes provisions jusqu'à ce que notre balade soit finie, mon estomac lesté, mon compagnon interloqué et moi-même, glorieuse et désinvolte à la fois, rassurée, ça oui, enfin pleine de quelque chose, mais aussi pleine de regrets quelques heures plus tard.

Il fallait bien qu'enfin je mette un terme à ce formidable appétit, à cette inépuisable capacité d'absorption, à cette boulimie sans limites qui épuisait mon ventre et — ce n'était pas la moindre conséquence — me coûtait les yeux de la tête. Il m'arrivait de dépenser 50 francs, parfois 60 francs en viennoiseries, et cela en quelques heures. J'avais d'ailleurs entièrement revu mon budget au service de cette obsession, pillant ma mère dès qu'elle tournait le dos — mais elle n'avait jamais de liquide dans son sac —, la suppliant d'augmenter la petite pension qu'elle m'allouait, cherchant par tous les moyens à rogner ailleurs, au point de ne jamais m'acheter de fringues, d'aller éternellement dans un mauvais pantalon de velours rouge et de vieilles Clarks.

Ma mère ne faisait pas attention à mes tenues, pas plus qu'elle ne s'occupait de sa maison, pas plus qu'elle ne surveillait nos menus. Du coup, je parvenais à la tromper sur mes dépenses, et comme alors je m'étais inscrite au cours de théâtre dont lui avait parlé l'une de ses amies comédienne, comme j'inventais des frais inexistants, je me débrouillais. Je me gavais donc en toute impunité, joyeuse, candide, rondelette, jeûnant alternativement pour ne pas prendre trop de poids, et apprenant une bonne partie du répertoire théâtral français où, dans les rôles de soubrette, je faisais merveille. Tout le monde me réclamait comme réplique. Je passais de Toinette à Lisette à Dorine… Une fois, François, le professeur, me proposa d'interpréter Silvia dans *Le Jeu de l'amour et du hasard*. Je jouai avec une telle dépense d'énergie et de grimaces qu'il m'incita à revenir à mon emploi initial et ne m'en laissa plus sortir. On me voyait comique, à la bonne heure ! Je serais comique alors, un vrai boute-en-train capable de dérider toute une salle d'élèves. Je savais pourtant que je n'étais pas à ma place, et que si ma bonhomie physique m'entraînait vers ces rôles extravertis, seules ma timidité maladive et ma peur des adultes m'y enfermaient.

Ainsi donc, devais-je y mettre un terme. Me purifier de tous ces excès, me débarrasser des apparences, tuer en moi la part joviale, héritée de ma mère, anéantir le mensonge de cette vie où l'on devait être gai, heureux, léger, où l'on riait beaucoup, où les chagrins n'avaient pas droit de cité, ni la colère, ni la franchise — si la franchise devenait désagréable à entendre. Les amis défilaient à la maison, toujours de bonne humeur, portant des bouteilles et des victuailles, partageant en famille, sur la table commune, des soupers tardifs et festifs, sans la moindre intimité. Nous devions suivre. Ma sœur, mon frère et moi. Nous voulions être à la hauteur, ne pas gâcher la fête. On s'endormait parfois sur le canapé, malgré la musique, les voix tonitruantes, les rires. Tant de liberté, tant de bonheur nous rendait malades à notre insu.

Est-ce suffisant pour expliquer que j'aie pu passer, du jour au lendemain, de cette boulimie indécelable sur mon corps à une anorexie spectaculaire ? En un an, je m'étais métamorphosée et, à l'école, plus personne ne me proposait des rôles de soubrette. J'y allais de moins en moins d'ailleurs. J'avais en tête de créer ma propre troupe, de monter un spectacle, de vivre ma vie loin du filet de l'apprentissage. Ma mère, enfin, me regardait. Et Rose-Marie, maigre aussi, décharnée et vieillie prématurément, s'épuisait à me convaincre que « je me bousillais ». Elle ne voulait pas comprendre ma volonté de purification, mon désir de devenir aussi légère qu'un oiseau, aussi immatérielle qu'un ange.

— Tu vas y rester, oui, me disait-elle. C'est ce que tu veux ?

Elle avait néanmoins réussi à me faire admettre qu'une thérapie m'apporterait beaucoup. J'allais assidûment à mes séances, y trouvant du grain à moudre et, chaque fois, des raisons d'y retourner la semaine suivante.

Ce 13 novembre, donc, par un froid de canard, j'avais accepté d'ingurgiter une soupe brûlante tout en regardant Omayra qui se battait pour sa survie. Et ma mère m'avait fait cette déclaration absurde, déplacée : « J'écris pour dire que nous avons été là… » Encore fallait-il vouloir être là et je n'avais jamais été très sûre de le vouloir. Aurais-je pour autant préféré avoir les jambes coincées sous des eaux boueuses ? Aurais-je préféré naître dans une vallée perdue, au pied d'un volcan dont le nom de western, Nevado del Ruiz, prédisposait davantage au spectacle des neiges qu'à celui d'une petite fille expirant à la face du monde ? Non, je préférais être moi, Pauline Faudel, fille d'une romancière à succès qui prétendait qu'elle écrivait pour dire que nous avions été là. Je préférais avoir vingt-trois ans, croire qu'on avait déjà vécu ma vie pour moi et qu'il ne m'en restait que des miettes, je préférais mourir lentement en effaçant mon corps sous le regard réprobateur de ma mère qui, comme les sauveteurs autour d'Omayra, ne pouvait rien pour moi et s'apprêtait à me quitter faute d'avoir trouvé ce qui m'encombrait aussi profondément — tout en prévoyant de témoigner que j'avais « été là » après m'avoir donné la vie et ce faisant la mort, car c'était cela, enfanter, accepter de donner la mort avec la vie. Oui, je préférais être moi plutôt que cette enfant de douze ans que le monde oublierait après l'avoir plainte, chacun reprenant le cours de ses activités, navré mais vivant, parce qu'il fallait bien vivre quand d'autres mouraient, et quel que soit le prix du chagrin, du remords et d'un apitoiement sincère.

Dans la nuit, ma mère est entrée dans ma chambre, s'est assise sur mon lit avec précaution, pour ne pas me réveiller. Mais j'avais senti qu'elle était là — à une minuscule modification de l'air, à son parfum, au poids de son corps sur le rebord du matelas. J'avais gardé les yeux fermés, retenu ma respiration, attendu le contact de sa main sur mon front, geste qu'elle avait parfois lorsque nous étions petits, mon frère et ma sœur, dormant tous ensemble dans une chambre où nous nous amusions à changer de lits, avant d'éteindre la lumière, pour qu'elle ne sache jamais trop bien à quel front elle avait affaire. À présent, j'étais la dernière à vivre à la maison. Elle ne pouvait plus se tromper d'enfant.

Elle a posé sa main sur mes cheveux, les a caressés doucement. J'ai fini par ouvrir les yeux. Elle me souriait avec cet air bienveillant qui me semblait si composé, pourtant, si artificiel, mais il faut croire que c'était devenu une deuxième nature, cet art de paraître ouvert, calme, bien disposé, quand le monde était hostile, fermé, désespéré. Elle a chuchoté : Ma Pauline toujours en guerre — puis elle s'est levée et a refermé la porte derrière elle.

Oui, j'étais en guerre, j'avais décidé de livrer bataille, et je lui en voulais de la mort d'Omayra comme si elle l'avait étranglée de ses propres mains. Elle l'avait laissée mourir comme les autres. Elle l'avait trahie, déçue, abandonnée. J'en étais là de mes élucubrations nocturnes quand la douleur dans ma tête est revenue, si forte qu'il m'a semblé que je n'y survivrais pas, qu'un châtiment suprême était sur le point de me foudroyer. Je me suis mise à hurler, à sangloter : Je vais mourir, maman ! Je vais mourir ! Elle a accouru dans ma chambre, suivie de Rose-Marie qui avait à la main un verre d'eau. Mais personne ne savait où étaient mes antalgiques. Même moi, je ne m'en souvenais plus Ma mère et Rose-Marie ont cherché partout, à la cuisine, près du canapé, dans le tiroir de ma coiffeuse — elles ne trouvaient pas. Je continuais de pleurer, plus doucement, c'était un gémissement animal, une plainte presque mélodieuse. Et j'avais l'impression, moi, de m'enfoncer dans une dimension inatteignable, sans retour possible.

Finalement, ma mère a trouvé la boîte de médicaments et a déposé dans ma bouche un comprimé tandis que Rose-Marie me tendait le verre d'eau, et j'ai bu, et j'ai été très étonnée de constater que oui, même si c'était de la poudre de perlimpinpin, ça faisait effet. Les éclairs qui traversaient ma tête s'espaçaient. La douleur se diluait, fatiguée d'elle-même, au bout de sa démonstration.

— Essaie de dormir, ma chérie, a dit ma mère en tapant mon oreiller pour qu'il reprenne forme.

Rose-Marie m'a fait un clin d'œil. Le visage de ces deux femmes qui se penchaient sur moi était tiré, fatigué, anxieux. Elles me souriaient mais je voyais bien qu'elles se faisaient du souci, que tout simplement elles m'aimaient. Je me suis dit que peut-être Omayra, en disparaissant, avait ressenti cet amour inquiet, qu'un ange au-dessus d'elle lui avait fermé les yeux en lui permettant de voir, une dernière fois, l'infinie tendresse des adultes qui n'étaient pas fiables sans doute, pas sûrs dans leur dessein et dans leurs paroles, mais capables de lui tenir la main jusqu'au bout, dans l'eau froide et sale.

Je me suis endormie, rassérénée, paisible. Cette nuit-là, j'ai rêvé d'un énorme poisson aux écailles étincelantes, aux flancs doux et brillants, dont la tête aimable était celle de Laurent Delmas. J'ai rêvé qu'il nageait dans les eaux boueuses qui avaient enseveli plusieurs villages colombiens, qu'il libérait les jambes meurtries d'Omayra, qu'il la soulevait délicatement et qu'à cheval sur cette monture souple et adaptée, la petite fille battait des mains comme j'avais vu battre des mains, deux jours avant, une femme au spectacle qui applaudissait à tout rompre, euphorique et tout à coup enfantine, une adaptation des *Neiges du Kilimandjaro*. Je savais bien que les rêves, si étroitement assujettis à nos émotions, ne pouvaient pas triompher des catastrophes réelles — mais quand au petit matin, j'ai commencé à émerger du sommeil, une part de moi a réussi à me faire rebrousser chemin, à me renvoyer dans mon songe pour en prolonger la féerie. C'était une minuscule victoire sur moi-même, la première depuis longtemps et, toute la journée qui a suivi, j'ai promené mon rêve à travers l'appartement et dans les rues de Paris, au cœur de cet hiver glacial qui pour moi contenait soudain les promesses du printemps. J'avais vingt-trois ans, oui, et je commençais à vivre.

9

Viviane
(1986)

Je m'appelle Viviane Hardy. On m'appelait Vive quand j'étais petite. J'aimais bien. Longtemps, mes parents et mon frère ont continué de me donner ce surnom. Puis ils ont cessé même si aujourd'hui encore il arrive que cela leur échappe — j'y vois alors un signe exceptionnel de leur affection, l'écho de cet amour que seuls les enfants, lorsqu'ils sont en bas âge, inspirent à leurs parents. Peu importe de toute façon car désormais je suis Pat. Personne ne m'appelle plus Vive et encore moins Viviane. D'ailleurs, qui pourrait me nommer ainsi à présent ? Je ne vois plus mes amis de l'école élémentaire, ni a fortiori ceux de la maternelle, pas davantage ceux du lycée, ni d'ailleurs les rares fréquentations que j'ai eues plus tard, à la fac. Cela s'est fait petit à petit, je serais bien en peine d'expliquer comment les liens se sont dénoués, mais, c'est un fait, la dernière à m'avoir téléphoné, Bérénice Puissandoux, a accompagné ses parents en Nouvelle-Calédonie il y a deux ans et j'imagine qu'elle y a poursuivi ses études supérieures car elle était brillante élève. Murielle Damas et Luis Hernandez, qu'on appelait Nino, ont totalement disparu de mon horizon. Ils étaient pourtant mes meilleurs amis en terminale, et même après, durant ma première année de lettres modernes. On se retrouvait presque tous les soirs au Petit Caporal, et puis un jour, plus rien, on a cessé de se voir. Les copains que j'ai eus après ont aussi déserté mon existence. Grégoire Zeller surtout, à qui je plaisais au point qu'il m'avait invitée à dîner à la Tour d'Argent, simplement parce que, en passant devant, je lui avais dit que depuis toujours ce nom me faisait rêver. J'ai couché avec lui, du coup, alors qu'il n'était pas mon genre, par reconnaissance, même si sur le moment, je ne me le suis pas formulé de la sorte. D'une certaine façon, je me sentais obligée à son endroit car il était le seul à s'intéresser à moi, le seul à me donner l'impression que je n'étais pas invisible. Il y a des gens qui irradient et d'autres qu'on ne remarque pas. Je fais partie de la seconde catégorie. Même mes parents ne me voyaient pas. Ils criaient « Vive ! » mais si je ne répondais pas, ils pouvaient passer à table sans moi. Pourtant ils m'aimaient. Cela n'a rien à voir.

Il y a deux ans, je me suis inscrite dans un cours de théâtre, parce que j'avais encore l'espoir que les choses évolueraient. J'avais décidé de monter sur scène pour qu'on me regarde enfin. Cela n'a pas changé grand-chose, sinon que j'ai appris ce qu'au fond je savais déjà : on a beau tenter de s'écarter de sa route, elle nous rattrape toujours. J'ai pourtant été reçue au conservatoire mais, très vite, j'ai su que je n'y aurais pas ma place et je n'y suis plus allée. Grégoire était fou de rage, il me disait : tu n'as pas le droit de laisser tomber, il y a si peu d'élus... Je me suis mise à l'éviter, à prétexter tout et n'importe quoi pour ne pas sortir avec lui, et au bout de quelques semaines, il ne m'a plus rappelée. Je suis redevenue invisible et me suis mise à vivre la nuit. J'avais rencontré des punks qui traînaient aux Halles et qui m'avaient admise dans leur bande, même si j'étais la dernière roue de la charrette. Faudra que tu fasses tes preuves, m'avait dit l'un d'eux. J'ai commencé à partager leurs journées, à les suivre partout, à m'habiller comme eux. Ils sont devenus mes seuls compagnons. Je ne suis pas toujours d'accord avec ce qu'ils font mais je les aime et, comme eux, je n'attends rien de demain. Il y a Kafka, Lenny et Cendrillon — le noyau dur du groupe. Kafka a l'air d'une brute mais c'est un gentil. Au moins, grâce à son apparence — crâne rasé, épaules de colosse, lames de rasoir au cou —, tout le monde nous respecte. Lenny est plus petit, plus maigre, avec un regard étroit et sombre, des cheveux très noirs et une peau aussi blanche qu'un lit d'hôpital. Cendrillon a des dents éclatantes qui illuminent son visage quand elle rit mais elle ne rit pas souvent. Elle a aussi une cicatrice sur la joue et huit anneaux en argent sur le sourcil gauche. On a tous le même âge, vingt et un ans.

Mes parents savent que je suis entrée au conservatoire, bien sûr, mais ils ignorent que je n'y vais plus. Je leur dis qu'on répète le soir, jusque tard dans la nuit, si bien que depuis des mois je me couche quand je veux, vers quatre heures du matin, chancelante, épuisée, défoncée. Je ne me lève jamais avant midi. Mon oreiller est taché du rouge à lèvres que je ne prends pas la peine d'enlever avant de m'endormir. Geneviève change mes taies sans dire un mot. C'est une femme douce et souriante. Résignée à son sort et au traitement que mes parents lui font subir, oh rien de bien méchant si ce n'est un salaire modique et cette impression qu'elle ne compte pas.

— Mais tu te trompes ma chérie, m'a dit ma mère l'autre jour parce que je lui parlais de son mépris vis-à-vis de Geneviève. Tu te trompes lourdement, a-t-elle insisté, s'indignant progressivement de ma remarque à mesure qu'elle prenait conscience de toutes les insinuations que levait une telle accusation. Mais elle n'a fait que répéter sa phrase, tu te trompes lourdement, et elle a quitté la pièce. J'avais l'impression de lui inspirer tout à coup une sorte de dégoût triste, un reste d'affection mêlé de répulsion, comme si, en me regardant, elle se demandait en quoi je pouvais être sa fille, de quelle façon elle avait pu enfanter une adolescente aussi négative. Elle n'est pas dupe de mes répétitions théâtrales. Elle voit bien que mon visage est sale, mes traits bouffis par l'alcool, mes cheveux hirsutes et mes fringues déchirées. Elle le voit mais elle ne veut pas s'aventurer plus loin. Elle préfère s'en tenir à ce déni vaguement horrifié, du moment que mon père ignore la vérité — et comment l'apprendrait-il vu qu'on ne passe plus de temps ensemble ? Cette obsession de tout cacher à mon père, pour lui épargner d'inutiles tracas, pour le protéger d'une famille en pleine décomposition, pour lui permettre en somme de mener sa carrière en toute impunité, aveugle sur ses proches mais visionnaire quand il s'agit d'inconnus, m'a toujours sidérée chez ma mère. Pense-t-elle vraiment que c'est le rôle d'une bonne épouse que de faciliter l'ascension sociale de son mari, quitte à lui dérober la vie de ceux qui devraient compter le plus pour lui ? Pense-t-elle que si elle partageait avec lui ses inquiétudes, il la jugerait indigne, incompétente ? Ou bien est-elle de ces femmes qui croient qu'en faisant comme si les choses n'existaient pas, elles n'existent plus, en effet, minimisées et réduites au néant à force d'être ignorées ? J'aime tendrement ma mère mais c'est à mon tour, de plus en plus souvent, de me demander comment elle a pu m'engendrer. Car moi, au moins, je suis éprise de vérité, quel qu'en soit le prix à payer.

C'est pourquoi j'ai décidé de partager le sort de Kafka, de Lenny et de Cendrillon. Ce qu'ils font est répréhensible mais ils sont vrais. L'autre jour, à la fontaine, Cendrillon a menacé avec son canif une fille qui occupait le rebord de pierre, place qui lui revient d'habitude. Elle lui a dit, casse-toi, mais la fille n'a pas bougé. Cendrillon a sorti sa lame et comme l'autre restait assise, elle lui a tailladé la joue. Rien de trop méchant, juste une estafilade, mais le sang a coulé. Lenny rigolait et Kafka a retenu le bras de Cendrillon quand elle a voulu recommencer parce que la fille se tenait la joue sans partir, estomaquée. Calmement, Kafka lui a conseillé de dégager et elle est partie en criant qu'elle se vengerait, qu'elle reviendrait avec ses copains. Cendrillon a gueulé : C'est ça ! C'est ça ! Reviens avec tes molosses, connasse !

Je n'aime pas ce sentiment de puissance qui l'envahit quand elle a bu. Il était dix heures du soir et personne n'avait rien mangé. On était à cran, d'autant que la cagnotte était vide, tout entière passée dans l'achat de bières. Et ça faisait un bail qu'aucun passant ne nous donnait plus la moindre pièce. On était trop sales, trop remontés, trop violents pour inspirer la plus petite compassion. Alors, on s'est organisés. D'abord, il fallait changer de quartier. Trouver un fast-food pas trop fréquenté dans un arrondissement où personne ne nous connaît. Passer la commande et partir en courant, sans payer bien sûr. C'est moi qui m'occupe des commandes parce que je suis la moins repérable. Les serveurs me regardent à peine, même si avec ma tignasse ébouriffée et mon rouge à lèvres noir, je suis moins invisible qu'avant. L'opération a failli mal tourner mais on s'en est sortis. On a juste perdu quelques frites en chemin.

Je suis rentrée plus tard que d'habitude, et en ouvrant la porte je suis tombée sur mon frère qui allait aux toilettes. Il était en pyjama, il avait l'air d'un petit garçon alors qu'il a dix-neuf ans.

— D'où tu sors ? il m'a demandé. Il me fixait avec des yeux écarquillés, parfaitement réveillé, à croire qu'en me voyant, l'envie de retourner dans son lit l'avait brusquement quitté.

— Je te fais peur ou quoi ? ai-je ricané.

Il a haussé les épaules, s'est détourné de moi, pressé de ne plus avoir devant lui cette apparition nocturne aussi effrayante que familière. Alors, j'ai couru derrière lui, lui ai saisi les épaules pour le serrer contre moi, mais il s'est dégagé avec une violence dont je ne le savais pas capable.

— Lâche-moi, tu pues ! il m'a lancé.

Je l'ai vu disparaître à l'angle du couloir. Je suis restée plantée là, devant la porte d'entrée — et j'ai songé que je devais partir pour toujours, que cet appartement cossu du XVIe n'avait plus rien de commun avec la vie que je menais. Mais j'étais exténuée et je suis allée me coucher dans mon lit dont les draps sentaient la lavande. Geneviève était passée par là, elle avait changé ma taie d'oreiller et le reste.

Quand je me suis réveillée le lendemain, bien après midi, j'ai entendu un bruit inhabituel dans la rue d'ordinaire si calme même à une heure avancée du jour. En regardant par la fenêtre, j'ai vu qu'il avait neigé. Quelqu'un était tombé et dans sa chute avait renversé une poubelle en fer dont le couvercle roulait le long du trottoir. Il neigeait en plein mois d'avril et cette anomalie m'a fait l'effet d'une apocalypse. Je me suis dit, c'est fini, le monde est en train de crever.

Dans la cuisine, ma mère préparait le déjeuner. L'odeur de friture m'a écœurée mais je me suis quand même assise pour boire mon café — il était encore chaud, Geneviève avait laissé la cafetière allumée. Elle s'apprêtait à partir d'ailleurs, prenant de l'avance sur son horaire habituel parce qu'elle avait beaucoup de chemin à faire sous la neige pour regagner sa maison. Cet enneigement inattendu mettait tout le monde dans un drôle d'état. Elle a quand même pris la peine d'aller dans ma chambre, bien que, la connaissant, j'aie voulu l'en dissuader — en vain —, et elle a patiemment secoué mes draps, retourné mon oreiller, aéré ma chambre.

— Tu déjeunes avec nous ? a demandé ma mère les yeux sur sa poêle où grillaient des poissons panés.

— Non, mais s'il reste de la brioche, j'irai la manger dans ma chambre…

Ma mère a soupiré. Elle a retourné les poissons et m'a annoncé :

— Tu sais que nous partons tout à l'heure en Italie, avec ton père ?

— Tout à l'heure ? Mais vous revenez quand ?

— La semaine prochaine, je te l'avais dit. On va se reposer quelques jours...

— Et Lucas, il est où ?

— Ton frère ? Tu sais bien qu'il fait son stage en Bretagne. Il est parti ce matin.

J'ai réalisé que j'avais la maison pour moi toute la semaine et, en même temps que cela me réjouissait, je me sentais abandonnée.

— Mais vous revenez quand ? ai-je répété d'une voix rauque, cassée par le tabac.

— Je viens de te le dire, la semaine prochaine. Samedi prochain exactement...

Elle a encore retourné ses poissons qui étaient dorés et scintillants comme les beignets qu'elle préparait quand nous étions petits, Lucas et moi. Et puis elle m'a demandé d'aller me débarbouiller parce que mon père allait rentrer déjeuner.

— S'il te voit comme ça, il va hurler, a-t-elle ajouté.

— Pourquoi ? Comment je suis ? ai-je dit alors, déjà ulcérée, mais calme en apparence.

Elle n'a pas répondu, a jeté un œil réprobateur dans ma direction.

— Ben dis-le-moi !!! ai-je crié. Comment je suis ?!!!

Geneviève est apparue sur le seuil de la cuisine, elle avait déjà revêtu son imperméable et noué un fichu autour de sa tête. Elle m'a dit gentiment, calme-toi ma fille, et je me suis échappée en la bousculant pour aller m'enfermer dans ma chambre. Je ne voulais pas me regarder dans la glace, je me foutais d'avoir l'air d'une folle ou d'une épave. J'ai enfilé mon jean, chaussé mes bottes, pris mon blouson et j'ai claqué la porte en hurlant qu'ils ne me reverraient plus jamais.

La journée a été longue sous cette neige. Aux Halles, il n'y avait ni Kafka ni Lenny ni Cendrillon. Les passants se pressaient, surpris par le froid, emmitouflés dans des pardessus de demi-saison qui ne suffisaient pas à leur tenir chaud. Moi aussi j'avais froid — et une malheureuse cigarette à moitié écrasée dans mon paquet. Je me suis réfugiée dans des magasins mais je sentais qu'on me regardait de travers alors j'ai fini par descendre dans le métro et je me suis allongée sur un banc. À six heures, je suis remontée à la surface et, enfin, j'ai vu mes amis près de la fontaine. Avec eux, il y avait Papillon, un type qu'on croisait souvent dans les parages et qui, à l'occasion, nous dépannait. Il ne neigeait plus. À la place tombait une pluie glaciale qui était pire. On a déambulé aux Halles en tendant la main aux gens pour qu'ils nous donnent de la monnaie. On a péniblement rassemblé 10 francs avec lesquels on a acheté du mauvais rhum et du pain.

Kafka, volubile d'habitude, ne disait pas un mot et Lenny chantonnait un vieil air de Johnny Rotten. Cendrillon, elle, lorgnait les fringues derrière les vitrines, des robes qu'elle n'aurait pas portées de toute façon si elle avait pu se les acheter. Papillon gardait les coudes sur ses genoux, la tête baissée, le regard absent.

Quand la nuit a fondu sur la ville, le visage cadavérique de Lenny est devenu la seule chose claire qu'on pouvait apercevoir.

— J'en peux plus, a dit Cendrillon.

L'idée m'a alors traversé la tête. Elle a peu à peu pris de la consistance jusqu'à devenir une évidence, et je me suis écriée : Et si on allait chez moi, il n'y a plus personne !

Ils m'ont regardée comme si je leur avais posé un problème d'algèbre. J'ai insisté : La maison est vide et il fait chaud au moins !

Ils se sont redressés tous en même temps. J'étais si heureuse de leur faire plaisir que je n'avais plus froid. On a pris le métro sans prononcer un mot. Je les guidais, gaie comme un pinson mais silencieuse, toute la joie enfouie en moi, juste visible de l'extérieur quand je croisais le regard de Kafka en lui souriant.

Nous sommes arrivés à la station Passy, et je me suis levée. Ils me suivaient comme des pensionnaires à qui on aurait coupé la langue et retiré des neurones. J'ai eu une minuscule appréhension en enfonçant la clef dans la serrure de chez moi. Et si mes parents avaient renoncé à partir ? S'ils avaient reporté leur départ ? Mais non, ils avaient bel et bien levé le camp et ma mère, habituée à ne pas prendre ce que je disais au pied de la lettre, n'avait sans doute pas songé sérieusement qu'elle ne reverrait jamais sa fille.

J'ai refermé la porte et peu à peu tout le monde s'est détendu. Kafka a fait le tour de l'appartement, soupesant chaque chose du regard, et Lenny est allé à la cuisine, directement, comme s'il avait toujours su où elle était. Il a ouvert le frigo et m'a demandé s'il pouvait déboucher la bouteille de champagne qui était au frais. J'ai répondu oui, à condition qu'on la remplace. Cendrillon était déjà vautrée sur le canapé, une cigarette aux lèvres. Papillon, lui, regardait la discothèque de mon père, des disques de jazz essentiellement. Mais si tu veux écouter autre chose, il y a de quoi dans la chambre de mon frère ! ai-je proposé. Je m'en suis voulu à la seconde d'avoir dit ça, personne ne m'obligeait à en faire autant, il faut toujours que je donne au-delà du nécessaire et, en l'occurrence, l'idée d'avoir ouvert en grand l'antre de mon frère, cette chambre où depuis des années il couve ses disques avec amour, a fait naître en moi une angoisse sourde qui ne m'a plus lâchée de la soirée.

Vers minuit, Papillon a dit en montrant du doigt la chaîne, les baffles, l'équaliseur et la télévision :

— Sacré beau matos ici...

Lenny a opiné du chef, très lentement, comme s'il se donnait le temps de comprendre tout le parti qu'ils pouvaient tirer de la situation.

Kafka est revenu des toilettes et Papillon a répété : Beau matos, non ?

Ils se sont regardés, puis leurs yeux se sont posés sur moi. J'ai murmuré : oh non, les mecs, vous n'allez pas... Mais dans leur tête la décision était déjà prise.

— Désolée ma vieille, a dit Lenny.

Cendrillon dormait à moitié. Elle a remué un bras et gémi.

— Vous ne pouvez pas me faire ça quand même ! ai-je imploré, les larmes aux yeux.

Papillon est allé vers le téléphone et a appelé un copain qui avait une voiture. Il lui a dit, et surtout, n'oublie pas de faire le plein avant de te pointer. Il lui a donné mon adresse et a raccroché.

Ils ont tout embarqué, y compris la hi-fi ultrasophistiquée de mon frère, et ses disques — c'est ce qui m'a le plus accablée. Après quoi ils se sont sauvés comme des voleurs, c'est le cas de le dire. Cendrillon m'a dit tristement : salut Pat, et elle a disparu avec eux. Je suis restée chez moi, abasourdie, ne sachant que faire à part me frapper la tête contre les murs. Je ne savais pas qui appeler. Je n'avais personne à qui demander du secours. J'ai fouillé la salle de bains pour trouver les somnifères que mes parents utilisent de temps en temps, j'en ai avalé deux et j'ai fini par m'endormir sur le canapé. Au petit matin, cela m'a paru lumineux : la seule que je pouvais appeler à n'importe quelle heure du jour et de la nuit, c'était Geneviève. J'ai composé son numéro en tremblant. Elle était là, bien sûr, vu qu'on était dimanche et qu'il était six heures du matin. Elle m'a dit, j'arrive, et une heure et demie plus tard, elle était là. Elle m'a prise dans ses bras et j'ai fondu en larmes. Puis elle m'a dit : il faut appeler tes parents.

Je ne voulais pas, j'avais trop peur et surtout je refusais d'accuser mes amis.

— On pourrait forcer la porte et dire qu'il y a eu un cambriolage, c'est le plus simple, non ? Puisqu'il y a eu un cambriolage de toute façon. Mais sans fracture, personne ne me croira et, en plus, l'assurance ne marchera pas !

— Il faut que tu appelles tes parents, a-t-elle répété.

— Mais ils vont me tuer !

— Tu dois dire la vérité, ma fille. Ton père décidera.

Je savais que ma mère avait laissé le numéro de leur hôtel à la cuisine. Elle fait toujours ça quand ils s'absentent, même si c'est pour une soirée. Geneviève me regardait me débattre avec moi-même. Elle était calme et fatiguée, les yeux emplis de bienveillance. Elle tenait à la main son fichu. Son imperméable entrouvert laissait voir un vieux pull-over et un pantalon lustré aux genoux.

— Je ne peux pas, ai-je fini par dire.

— Alors, j'attendrai ici jusqu'à ce que tu puisses, a-t-elle répondu.

À dix heures, je me suis décidée. Mon père était tellement stupéfait qu'il n'a pas pris le temps de m'engueuler. Il m'a juste dit, ne touche à rien, on prend le premier avion.

Geneviève me souriait. Cette femme qui jour après jour avait changé mes taies d'oreillers, lavé mes draps, nettoyé mes saletés, qui m'appelait ma fille parce que j'avais l'âge de l'être, qui me voyait vivre et qui, de moi, savait plus de choses que mes parents à eux deux réunis, cette femme-là, trouvait encore le moyen de me sourire.

— Geneviève, ai-je supplié, tu seras là, hein, quand mes parents arriveront ? Tu ne me laisses pas seule, hein ?

Elle a levé les bras doucement vers le plafond.

— Mais ma petite fille, j'ai une famille, moi ! Ils m'attendent. Ils ont besoin de moi, eux aussi. Ne t'inquiète pas, tout se passera bien.

Je me suis remise à pleurer mais cette fois c'étaient des larmes douces, qui lentement délivraient toute l'angoisse que j'avais accumulée. Le soleil avait percé les nuages et entrait à flots dans le salon. Geneviève s'est levée et a ouvert la double fenêtre dont l'embrasure courbe, dorée à la feuille, m'a toujours fait penser à un portique royal. Je suis née dans cet appartement mais j'avais l'impression de le voir pour la première fois, plus exactement, je le voyais avec des yeux différents et ces yeux-là étaient ceux de Geneviève. Elle est revenue vers le canapé.

— Il fait bon ce matin, a-t-elle dit.

Elle s'est penchée vers moi, m'a embrassée et a noué son fichu autour de la tête.

— Il fait bon mais on ne sait jamais...

Je lui ai souri. Elle a refermé la porte derrière elle, tout doucement parce qu'elle sait ce que ça fait d'entendre une porte claquer quand on reste seul de l'autre côté.

10

Paul, Lili, Grégoire
(1987)

Cela faisait un moment qu'un poisson avait mordu à l'hameçon mais personne ne s'en était rendu compte. Ni Lili qui lisait à l'ombre du génois, ni Paul qui était devant sa table à carte, ni moi surtout dont la main reposait sur la ligne, le bras par-dessus le bastingage, de façon à être alerté à la première tension. Je m'étais endormi et, au lieu de me réveiller, les secousses enregistrées alimentaient mon rêve, le façonnaient, l'embellissaient. J'avais des heures de sommeil à rattraper.

J'ai quand même fini par ouvrir les yeux et j'ai crié : ça mord !

Paul s'est précipité dans le cockpit et Lili s'est redressée. On a remonté la ligne au bout de laquelle un énorme thon se contorsionnait. C'était notre première prise depuis le départ et nous n'étions pas peu fiers. Paul m'a aidé à tuer la bête et Lili a proposé de la vider sur-le-champ, elle aimait ça, nous a-t-elle dit.

Il faisait chaud mais le vent constant, vif sans être trop puissant, nous rafraîchissait. Le ciel éblouissant, immense, se confondait au loin avec la mer. Pour la première fois depuis des semaines, je me sentais léger. Nous avions connu une descente houleuse vers l'Afrique, puis une halte salutaire dans la baie de Hann, puis un appareillage à la nuit vers le large, et rien n'y faisait, j'avais gardé une boule à l'estomac, une appréhension sourde qui me lestait en permanence. Et là, tout à coup, devant cet énorme thon aux flancs resplendissants, mon angoisse avait fondu.

Lili s'est emparée d'un seau et d'un grand couteau et elle a commencé à tailler dans la chair ferme. C'était étrange, cette jeune femme gracile armée d'une lame si imposante et l'utilisant avec tant de vigueur qu'on ne pouvait douter qu'elle y prenne du plaisir. La tête du poisson a cédé.

— On la jette à l'eau ? a demandé Lili à son frère.

Paul a acquiescé en ajoutant : mais on évite de se baigner pendant un moment. On craignait les requins ou d'autres prédateurs moins connus que le sang aurait attirés. Lili a balancé la tête et on a tous regardé le sillage. Le voilier filait à vive allure sans nous chahuter. La mer était calme et on s'était habitués à vivre ainsi, perpétuellement en équilibre, devinant l'eau sous nos pieds, écoutant le clapot contre la coque et cette impression, la nuit, d'une présence immanente. Lili dormait à l'avant, je me demandais comment elle arrivait à se reposer quand chaque vague soulevait l'étrave et la faisait retomber dans des fracas d'apocalypse. Cela me berce, prétendait-elle.

Moi, je dormais dans le carré, la couchette était double et je n'aurais pas supporté de me faufiler dans une couchette cercueil, comme Paul qui, lui, s'y glissait avec délectation. Rien que le nom me mettait mal à l'aise. Il me semblait qu'y dormir c'était accepter d'y mourir.

Le voilier n'était pas très grand, dix mètres à tout casser, mais nous y prenions nos aises. Il était prévu pour un équipage plus important, et même si je voyais mal comment entasser des équipiers supplémentaires, je devais admettre qu'à trois nous avions de la place. Ma sœur avait renoncé à nous suivre. Elle venait d'apprendre qu'elle était séropositive mais elle m'avait interdit de rester auprès d'elle. Nous avions donc levé l'ancre sans elle. L'idée qu'elle était malade m'avait hanté jusqu'à Dakar, et peut-être davantage encore me sentais-je coupable de l'abandonner — et tu feras quoi de plus en restant ici avec moi ? m'avait-elle dit, agressive tout à coup. J'étais parti la mort dans l'âme.

Lili s'était attaquée au ventre du thon, fouaillant ses entrailles pour en arracher l'intestin quand la deuxième ligne a bougé. Une nouvelle bestiole avait mordu à l'hameçon, et nous l'avons remontée avec le sentiment d'être bénis des dieux. Nous ne savions pas encore que les jours suivants, nous pêcherions plus de poissons qu'il ne nous en fallait pour survivre — des thons et des daurades coryphènes dont la chair succulente finirait par nous lasser.

— Bon, je propose qu'on mange du thon grillé ce soir et que l'autre on le fasse en conserve, a proposé Lili. Nous avions emporté tout ce qu'il fallait pour ça, des bocaux et une cocotte-minute qui nous permettait aussi de faire du pain frais chaque jour. Paul connaissait tous les tuyaux de la navigation, des plus techniques aux plus gastronomiques. Aucun de nous n'avait l'âme d'un aventurier et encore moins d'un champion, et même si Paul mettait un point d'honneur à garder une bonne allure, il ne voulait surtout pas nous dégoûter de la mer. Encore que Lili fût dans son élément sur un pont, en plein milieu de l'océan, à des milles de toute côte. L'inconnu ne lui faisait pas peur et, du moment qu'elle n'avait pas froid, qu'elle pouvait se baigner, prendre le soleil et fumer ses douze blondes quotidiennes, elle était prête à suivre son frère n'importe où. Pour moi, c'était une autre histoire : je savais nager, bien sûr, et j'aimais la mer, mais ne pas voir de côte pendant si longtemps, me sentir à la merci des éléments, cela ne me rassurait pas. Paul m'avait néanmoins convaincu qu'on ne risquait rien, que son bateau était un bon bateau. L'enthousiasme de ma sœur avait achevé de m'engager avec eux, et puis ce genre de voyage ne se refusait pas. Au bout, il y avait le Brésil, ce n'était pas rien.

— Ça va Grégoire ? m'a demandé Lili quand elle a eu vidé le second poisson. Elle me regardait avec bienveillance. Ses yeux particuliers, un bleu, un vert, resplendissaient.

— Oui ça va…

Je ne pensais pas à ma sœur mais aux années passées qui m'avaient conduit à me retrouver ainsi, livré au ciel des tropiques, en plein milieu de l'océan. Je ne croyais pas au hasard et il me paraissait évident que mon existence, étape après étape, me faisait prendre une route dont j'étais sans doute pleinement responsable mais qui souvent me donnait le vertige. Je revoyais tous les gens que j'avais croisés au cours de théâtre, Brioche, Laurent Delmas, Carole Jasper, Viviane Hardy, bien sûr, qui du jour au lendemain m'avait fui — et je n'en finissais pas d'établir avec ces rencontres des liens de cause à effet. Il me semblait que j'avais toujours été entraîné par quelqu'un, que même mes plus solides envies m'avaient été dictées par des gens. Jusqu'à

cette traversée à laquelle ma sœur m'avait associé, puis y
ayant renoncé à cause de sa maladie, convaincu d'en poursuivre le projet.

À moitié allongé et les yeux mi-clos, je regardais Lili qui
découpait le poisson pour le mettre en conserve. Elle avait
les bras musclés, la taille fine et des seins menus, une joie
de vivre à toute épreuve et une brusquerie dans les gestes
que tempérait une sorte de douceur au moment où tant de
vivacité aurait pu compromettre la minutie de ce qu'elle
accomplissait. Un va-et-vient perpétuel entre deux pôles,
un équilibre parfait entre une présence fascinante et un
effacement total. Viviane Hardy avait une façon semblable
d'être là sans y être. Elle se croyait insignifiante, mais elle
était au contraire, pour moi du moins qui l'avait regardée
tant de fois avec désir, insolemment consistante. Elle
m'avait fait souffrir aussi, sans même le savoir, et cela également me la rendait précieuse. Elle n'avait même pas
rompu, à l'époque, elle ne s'était pas donné la peine de
m'expliquer. J'avais attendu en vain durant des semaines
qu'elle m'appelle, qu'elle me parle, et mon amourette avait
tourné à l'obsession — puis à la passion, à cause du
manque, de l'absence, de l'incompréhension. Le temps
avait passé, j'avais fini par m'en remettre, mais je lui en
voulais encore. Je lui en voulais de m'avoir laissé dans l'in-
certitude. Je lui en voulais de m'avoir gommé de son existence sans éprouver ni remords ni peine. Durant des
semaines, je l'avais vue partout, et j'avais fini par me per-
suader qu'en effet, je finirais bien par tomber sur elle. Je
m'étais préparé à nos retrouvailles, j'avais imaginé mille

scénarios qui justifiaient son attitude et me rendaient son amour. Je ne l'avais jamais recroisée.

L'amour, donc — puisqu'il faut bien appeler ainsi ce que j'avais éprouvé et qui m'avait si longtemps tourmenté — m'avait été donné avec une femme qui ne pouvait m'aimer, et j'avais beau ressasser les faits, reprendre le fil des événements, j'étais obligé de constater que notre histoire avait été absurde et vaine. Je revoyais le soir où je l'avais invitée à la Tour d'Argent, pour fêter sa réussite au concours du conservatoire. Je revoyais sa joie, sa fierté, cette gaieté impétueuse qui l'avait envahie au deuxième verre de champagne, je me souvenais de ma propre euphorie qui avait balayé mes scrupules — tant d'argent dépensé en une fois — et permis de jouir de la pleine réalisation de mon rêve, d'en jouir d'autant mieux qu'au fur et à mesure que Viviane s'abandonnait à moi, je savourais chaque seconde de son abandon. Je revoyais ce grand bonheur qui avait été le mien et que le temps, en trois semaines exactement, avait réduit à néant. Comment une femme pouvait-elle se donner si entièrement à un homme et s'en détourner si vite ? Avait-elle joué, simulé, feint ? S'était-elle trompée tout simplement et croyant pouvoir m'aimer, s'était-elle ravisée en s'apercevant que je n'étais qu'un garçon sans importance, pas à sa mesure en tout cas, plein de bonne volonté sans doute mais inexpérimenté et sombre ?

— Il fallait bien quatre bocaux ! a lancé Lili qui venait de refermer son dernier couvercle de verre.

Elle a disparu par la descente qui, de là où j'étais, ressemblait à un gouffre sombre dans la clarté du jour. Je distinguais encore sa tête blonde et son buste qui s'agitait au-dessus de la cocotte-minute. Elle a allumé le feu et s'est tourné vers moi, je te fais un café ? J'ai acquiescé. Paul m'a rejoint dans le cockpit. Il a vérifié son cap, jeté un coup d'œil au gouvernail automatique, rangé un cordage qui traînait.

— On fait du 5 nœuds de moyenne, a-t-il annoncé fièrement.

Il aurait pu me dire qu'on allait à 2 nœuds ou à 120, je n'en aurais pas été moins impressionné, mais j'ai sifflé et dit, bravo ! J'étais bien en cet instant, sous le soleil dont le vent déjouait la chaleur, calé entre mes souvenirs et mes amis — au moins il m'en restait deux.

Lili est remontée avec une moque de café qu'elle m'a tendue. Je me suis redressé pour boire.

— Depuis combien de temps on se connaît ? j'ai demandé.

— Nous deux, depuis le cours de théâtre. Paul et toi, un peu après, non ?

Paul a pris un air grave qui chez lui, invariablement, rappelait l'enfant qu'il avait dû être.

— La première fois que je t'ai vu, c'était à Malgenêt, en 1984, pendant l'été. Ma sœur t'y avait traîné avec une copine… On s'était bien marrés…

— L'année d'après, on a vendu Malgenêt à des crétins qui voulaient construire une piscine en rasant les bouleaux. Ils étaient si jolis ces bouleaux, un vrai bouquet de biches enlacées…

Paul m'a regardé en riant.

— Et ces salauds, ils ont rasé les biches, hein ?…

— Oui, les biches et les souvenirs, a répliqué Lili très sérieusement.

— On s'en fout, a dit Paul.

— C'était Viviane Hardy, la copine..., ai-je articulé doucement.

— Oui, c'était elle...

— Ta sœur n'était pas venue aussi ? a questionné Paul, il me semble qu'il y avait quelqu'un d'autre mais je ne sais plus qui... On jouait au poker menteur, on était nombreux...

— Peut-être je ne sais plus...

Lucile était venue, oui, je m'en souvenais parfaitement, et je me souvenais de son sourire enjoué, de sa rayonnante jeunesse — mais je ne voulais pas qu'on en vienne à parler de ce qui lui arrivait, de ce mal qui la frappait, « injustement » avait dit ma mère, comme si pour d'autres cela pouvait être juste et alors même qu'autour de nous, des frères, des cousins, des amis tombaient. Non, j'avais envie de parler de Viviane, bizarrement, non sans complaisance sans doute — étais-je encore amoureux d'elle pour désirer si fort une forme de réparation, fût-ce celle d'une mémoire sans cesse reconstruite ? Je l'avais invitée à Malgenêt en espérant que ces quelques jours loin de Paris, chez des amis, nous rapprocheraient. À ma grande surprise, elle avait accepté sans hésiter, montant dans ma vieille 4L avec enthousiasme et ne se plaignant jamais ni de sa lenteur ni de la chaleur qui, malgré les vitres ouvertes, épaississaient l'atmosphère. J'étais nerveux et je conduisais mal, mais Viviane accueillait chaque secousse, chaque kilomètre accompli avec un sourire paisible.

— Malgenêt, c'était bien davantage qu'une maison de vacances, a repris Lili en souriant. C'est là que j'ai connu mes premiers orgasmes…

— Sous la pluie, quand les parents nous obligeaient à sortir ? a ironisé Paul.

— Non ! J'y étais allée toute seule l'année de mes quinze ans je crois, bien décidée à connaître la jouissance. J'étais déterminée à me caresser jusqu'à ce que je trouve la clef… C'était génial parce que j'avais fini par trouver et je passais mon temps à me masturber dans toutes les pièces…

— Lili a toujours tout fait avec sérieux ! a lancé Paul à mon attention.

Lili a acquiescé.

— Oui, ça, je l'ai fait avec un grand sérieux, je voulais comprendre comment marchait mon corps, je ne voulais pas attendre de trouver le plaisir avec un partenaire. Cela m'appartenait.

À ce moment-là, elle s'est mise debout et a crié : Oh, y'a un bateau droit devant !

Paul s'est retourné, la main en visière au-dessus de ses yeux, puis il a modifié légèrement le cap en disant, ça devrait passer. À quelques encablures de nous, un cargo faisait route vers le nord. On pouvait mesurer son étrave — on se sentait minuscule face à cette masse d'acier qui traçait paisiblement. Dix minutes plus tard, le cargo nous croisait puis s'éloignait. Bientôt, il ne fut qu'une tache sur la ligne d'horizon. De nouveau, nous étions seuls, à quelques jours du pot au noir, à la rencontre des alizées dont Paul redoutait les mornes accalmies et Lili l'absence de soleil.

Le soir tombait déjà. Un ciel rose s'élevait tandis que les premières étoiles apparaissaient. Nous nous sommes préparé à dîner, Paul faisant griller le thon pendant que Lili finissait de réanimer de pauvres légumes déshydratés que nous avions achetés en quantité parce que ça ne pesait rien. Elle contemplait sans conviction le plat où, grâce à l'eau, carottes et navets redevenaient souples. Le vent avait baissé, on ne le sentait presque plus, et seule la mer qui virait à l'encre paraissait vivante, soulevée par une respiration régulière. Nous avions pris l'habitude de cette métamorphose nocturne qui nous serrait la gorge. Lili parlait beaucoup, avec cette légèreté qui masquait son angoisse, et j'aimais ça chez elle, cette façon de conjurer ses peurs en feignant la gaieté.

Et puis la nuit a entièrement absorbé l'horizon.

Paul avait allumé la lampe à pétrole dont la lueur vacillait dans le carré.

— Tu as mis les feux de mat ? a demandé Lili qui redoutait toujours qu'un navire croise notre route et nous passe dessus sans même s'en apercevoir. Mais Paul voulait économiser ses batteries. Il comptait sur notre vigilance, avait réparti nos quarts de veille en fonction de nos préférences : Lili entamait le premier quart jusqu'à deux heures, il prenait le suivant, je terminais le dernier, celui du matin qui arrivait comme une délivrance et me permettait de préparer le pain.

Ma nuit a été courte. J'étais agité et cauchemardais, rêvant de ma sœur agonisante dont les cris me tiraient du sommeil ou de ma famille éplorée dont les sanglots me noyaient. Rien de bien réparateur. Aussi, quand Paul est venu me réveiller pour prendre mon quart, j'avais l'impression de n'avoir pas fermé l'œil.

Je me suis installé dehors, sous la couverture, les yeux dans le ciel, contemplant les étoiles si nombreuses que la voûte céleste paraissait irréelle. J'oscillais entre des pensées morbides et des somnolences brèves. Viviane Hardy continuait de me hanter. Trois ans s'étaient écoulés pourtant, mais j'avais encore besoin de trouver une réponse, et quand je pensais à elle une douleur aiguë me tenaillait. Je l'avais attirée à Malgenêt, persuadé de pouvoir l'apprivoiser, non que je fusse si sûr de moi mais parce qu'elle avait une façon d'être si effacée qu'en sa compagnie n'importe quel garçon pouvait se sentir en confiance. Elle m'avait suivi mais jamais, ni au bord du lac, ni sous les arbres du jardin, ni lors de nos pique-niques sur les plages sauvages, ni durant nos parties de cartes, elle ne m'avait donné le moindre signe de connivence. M'avait-elle seulement regardé ?

Quand de retour à Paris, lui donnant la réplique avec ferveur et prenant au sérieux mon rôle de faire-valoir, j'avais contribué aussi peu que ce fût à son succès, elle m'avait semblé reconnaissante. N'était-ce que cela ? Avais-je pris sa gratitude pour de l'amour ? Et lorsque je l'avais emmenée au restaurant fêter son succès, avais-je rêvé ou s'était-elle montrée tendre ? Avions-nous seulement été heureux durant ces quelques heures ?

Mes yeux n'en finissaient pas de se perdre dans les étoiles. Cassiopée, Aldébaran, les Pléiades, Bételgeuse… Viviane Hardy était-elle comme Orion, entourée de son baudrier, armée contre une existence qui s'offrait et dont elle ne voulait pas ? Elle avait repoussé les conquêtes faciles, déserté le conservatoire, fui celui qui l'aimait — moi —, tendu tout son être vers une destinée impossible dont je ne faisais pas partie. Qu'avait-elle fait de sa vie ?

Orion avait semé son baudrier et disparu, laissant un sillage blanc comme une Voie lactée, puis réapparaissant à portée de main et descendant vers moi avant de tournoyer autour de la lampe à pétrole. Je regardais sa lumière éclatante et chaude, irrésistiblement attiré sans pouvoir l'atteindre car mes membres ne m'appartenaient plus. J'avais basculé de l'autre côté du bastingage, agrippé comme je pouvais pour ne pas me noyer, quand ma sœur est apparue. Elle avait les lèvres pâles, les joues rondes de ses quinze ans, le regard confiant, empli d'une inébranlable foi en la vie.

— Tu ne l'aimes plus, a-t-elle dit, il faut oublier maintenant...

Elle me tendait les bras. Remonte à bord, m'a-t-elle ordonné, remonte et réveille-toi. J'ai ouvert les yeux sur Paul qui me secouait. Son visage était à deux doigts du mien.

— Grégoire...

— Paul, oh pardon, je me suis endormi...

— C'est pas grave, c'est pas grave, a-t-il dit.

Il me regardait avec amitié, et moi, j'avais failli. Les larmes me sont montées aux yeux.

— Ça va ? a-t-il demandé.

Je me suis mis à sangloter.

— J'ai rêvé de Lucile, ai-je balbutié en pleurant. J'ai tellement peur qu'elle meure, tu sais !

Il m'a pris dans ses bras, m'a serré contre lui, et tout à coup, il s'est redressé, les yeux écarquillés :

— Bon dieu, mais c'est quoi ça ?!!

Deux ailes immenses se déployaient sous l'eau de part et d'autre du gouvernail, collant au sillage mais immobiles, comme si elles se préparaient à étreindre le bateau.

Nous étions sans voix, fascinés par cette apparition dont l'envergure surpassait la poupe et dessinait une ombre languide et majestueuse.

— Une raie manta, a murmuré Paul. On l'appelle le diable des mers mais c'est inoffensif...

Le jour se levait. La raie poursuivait sa course derrière nous, humaine dans son obstination. Elle nous a escortés ainsi jusqu'au soir et durant la nuit suivante. Puis, au matin du deuxième jour, à la fin de mon quart, tandis que le soleil illuminait l'horizon, elle a changé de cap et disparu.

11

Willy

(1988)

C'est plus facile de baiser les actrices que de décrocher un rôle, pense-t-il. Il referme la porte, se retourne vers la fenêtre. En trois pas, il est au carreau, ouvre le battant, se penche pour regarder en bas — il n'y a rien à voir pourtant, juste une cour lugubre où les pigeons bivouaquent quand il pleut. Il allume une cigarette, inspire profondément, pense tout à coup à cette fille, Adèle, qui a bouleversé sa vie il y a six ans.

Il venait d'arriver à Paris. Il n'avait pas encore ouvert son sac que Tom lui proposait déjà de fumer un joint et de faire la tournée des copains. Il avait beaucoup dormi le jour, pas fermé l'œil la nuit. Et puis il était tombé sur cette fille. Il avait aimé son air réservé, ses cheveux d'or, son visage plein, semblable à celui de Pauline Lafont qui est morte cet été. Il ne se rappelle plus le visage d'Adèle, mais maintenant, chaque fois qu'il pense à elle, c'est l'expression de Pauline Lafont qui lui vient à l'esprit. Quand il a appris à la radio que le corps de la comédienne avait été retrouvé au fond d'un ravin, trois mois après sa disparition, il s'est mis à pleurer. Pour lui, désormais, Adèle aura toujours le visage de Pauline.

Mille fois, il a repris le scénario de cette soirée où ils sont allés sur ce maudit chantier. Il ne pouvait pas savoir qu'Adèle était asthmatique. Il ignorait d'ailleurs qu'on puisse mourir d'une crise d'asthme. À l'époque, les flics le considéraient avec une mine sévère qui lui a fait plus de mal que tout le reste. Une femme l'interrogeait, une jolie brune. Elle lui a demandé de répéter plusieurs fois sa version des événements. Elle n'arrivait pas à admettre que ce garçon, en apparence inoffensif, avait laissé faire une chose si stupide. L'avocat de Willy avait plaidé l'irresponsabilité, et c'est vrai, il était incapable de dire ce qu'il s'était passé. Il se souvenait du ciel percé d'étoiles, de son envie soudaine de s'envoler, de cette ascension virtuelle dans la nuit tiède. Sa peine avait été mineure mais Tom, lui, avait pris gros.

Peu à peu, il a cessé d'aller voir Tom en prison, ces visites lui coûtaient trop. Trop de temps, trop de honte. Mais ses cauchemars sont revenus. S'il avait eu de l'argent, il aurait quitté Paris pour l'Amérique mais son père ne voulait pas l'aider cette fois. Alors il a trouvé un job dans un théâtre qui cherchait des ouvreuses, mais qui l'a engagé car il est joli comme une fille. Chaque soir, il a assisté à des pièces plus mauvaises les unes que les autres.

Depuis six mois, il prend des cours de théâtre, court les castings, tourne des petits rôles et des pubs, écrit ses propres textes, laisse partout ses photos, des portraits en noir et blanc qu'une amie photographe a accepté de lui tirer pour presque rien. Comme elle est gracieuse, il lui a fait la cour, c'est un réflexe chez lui. Il est tellement doux que les filles se laissent faire. Il arrive même qu'elles s'enhardissent. Il aime bien les voir mordre à l'hameçon. Il aime découvrir leur odeur, sentir leurs corps qui s'abandonnent. Le lendemain, il se réveille toujours en premier. Il se détourne, quitte les draps. Il est rare qu'il ait envie de recommencer avec la même. Il a du mal à tomber amoureux.

Le reste du temps, il va au cinéma. C'est le seul endroit où il se sent chez lui. Avant, il y allait en bande mais il ne supporte plus d'être accompagné. La dernière fois qu'il a accepté d'y emmener une de ses conquêtes, il s'est juré que c'était la dernière. Elle trouvait le film sans intérêt, elle a posé ses doigts sur sa braguette et il a détesté cette intrusion. Il lui a pris la main, l'a embrassée, mais il ne l'a jamais rappelée.

Il va voir des films américains, *Full Metal Jacket*, *The Untouchables*, de vieux Scorsese aussi, *Taxi driver*, *New York, New York*, *Raging Bull*. Les films français ne l'intéressent pas, il est comme son grand-père qui habite en Haute-Garonne et, qui toute sa vie, a répété qu'il n'y avait plus rien à voir. Sa grand-mère haussait les épaules mais se taisait. Elle s'était abonnée en douce à un ciné-club de Toulouse. Elle prétendait qu'elle allait boire le thé chez une copine. Elle n'aurait pas pris plus de précaution si elle avait eu un amant. Mais grand-mère, tu pourrais lui dire que tu vas au cinoche, il s'en fiche, non, grand-père ? Elle répondait avec un petit sourire qu'il n'en était pas question. Qu'elle avait du plaisir à lui cacher « encore » des choses. Willy se demande comment cette femme douce et secrète a pu faire un fils aussi trivial que son père. Encore qu'il ne le connaisse pas vraiment, son père. Il vit à Francfort depuis des années. Quand il va le voir, il est frappé chaque fois de son insignifiance.

Il doit le rejoindre d'ailleurs dans quelques jours, juste avant de s'envoler pour les États-Unis. Son père lui offre le voyage. Cadeau de Noël. À condition qu'il passe quelques jours à Francfort. Il lui a pris un billet depuis l'Allemagne. S'il doit se taper quatre ou cinq dîners mortels pour passer les fêtes de fin d'année en Amérique, qu'à cela ne tienne. Les States, c'est son rêve depuis toujours.

Il referme la petite fenêtre de son studio. Il a envie d'appeler sa mère mais finalement il y renonce. Il songe à sa grand-mère qui est morte au mois d'août, quelques jours après Pauline Lafont. Elle s'est éteinte dans son ciné-club, en pleine séance. À la réception qui suivait l'enterrement, son grand-père lui a dit qu'il avait toujours su qu'elle allait voir des films en cachette. Willy a embrassé le vieil homme et il est allé pleurer dans la salle de bains.

Son téléphone sonne. C'est une directrice de casting qui lui demande de passer le lendemain pour un essai. Elle n'en dit pas plus, précise juste qu'il doit venir bien habillé et les cheveux propres. Elle prend congé sèchement. Une fois qu'elle a raccroché, il lâche, connasse, mais le lendemain, il est là, rasé de près, vêtu de son unique veste en velours noir, les cheveux peignés en arrière. Il ressemble à une star des années 30. On lui demande de lire un texte auquel il ne comprend rien, alors il y met sa douceur habituelle, une voix de basse légèrement monocorde. En général, ça plaît. Le metteur en scène lui propose de recommencer en affectant d'être au bord des larmes. Il pense à son grand-père, l'émotion vient toute seule. Après quoi, il doit recommencer avec le fou rire. Quand il sort de la production, il est déjà dix-huit heures, il meurt de faim, il n'a rien avalé depuis la veille. Il s'achète un sandwich et des frites. Chez lui, il écoute son répondeur. Sa mère lui a laissé un message pour l'inviter à dîner. Il est prêt à ingurgiter un deuxième repas.

Il arrive à Neuilly à dix-neuf heures. L'automne est sur le point de s'achever. Les feuilles des marronniers font sous ses pieds un mince tapis dont le bruissement le ramène au temps de la rentrée des classes. Il a onze ans. Il porte avec gravité un gros cartable dans le dos. C'est son premier jour de sixième, ce n'est pas rien d'entrer en sixième même si sa mère a oublié de se lever. Il a tout de suite aimé son lycée, sa vaste cour moderne où un architecte à la mode a imaginé des espaces pour s'asseoir en creusant des tranchées dans la dalle de béton. Il s'est rapidement fait des copains. Il a quelque chose dans le regard qui oblige les autres à l'aimer et à se soumettre, il en a conscience mais il n'en abuse pas. Il était sérieux à l'époque et jusqu'à la troisième, il est resté un bon élève. Les choses se sont dégradées plus tard, il ne sait même pas comment.

Aujourd'hui, il a vingt-quatre ans et il voudrait recommencer sa vie.

Un homme en tablier rouge est en train de balayer le bout de l'allée. Il a le crâne rasé et la peau noire. Willy se dit qu'il doit avoir froid, que le crépuscule de novembre donne au ciel une lumière de fin du monde. Il pense ça en sonnant au numéro 54. Une fois dans le hall d'entrée, il néglige l'ascenseur pour monter à pied. Quatre étages au terme desquels il a envie de fuir. Mais il reste, la porte est déjà ouverte, il entre, sa mère l'embrasse en disant, mon chéri... Son mari est là, lui aussi. Il lui serre la main sans le

145

regarder. Il respire l'odeur de cire et de parfum qui a colonisé l'espace.

— Si je ne t'invite pas, je ne te vois jamais, se plaint sa mère qu'il appelle depuis toujours par son prénom, Blanche. Le mari, lui, s'appelle René, mais Willy est incapable de l'appeler René. Blanche et René, pense-t-il, quelle faute de goût, cette association. Il va s'asseoir dans le fauteuil Voltaire, celui qu'il a toujours vu chez sa mère, même à l'époque où elle habitait à Dijon. Elle s'est installée à Paris il y a quatre ans, suivant son René qu'elle avait rencontré dieu sait comment ni où ni quand. Willy soupçonne Blanche d'avoir connu René bien avant son divorce mais il n'a jamais cherché à connaître la vérité. Sa mère est une femme transparente et indestructible. Il aurait préféré qu'elle ne vienne jamais s'installer dans la même ville que lui. Elle fait semblant de s'intéresser à la vie de son fils mais c'est un intérêt superficiel, fait de présupposés et dénué de toute curiosité. Peu importe. Lui aussi fait semblant.

— Tu avais cours aujourd'hui ? lui demande-t-elle. Elle porte une robe en soie rouge et des escarpins vernis.

— Non, pas aujourd'hui mais j'avais une audition… Un rôle assez important pour un premier film…

Elle sourit, lâche un petit, ah ? de satisfaction. Et ça s'est bien passé ? Il traduit : Tu vas gagner un peu d'argent ? Il hausse les épaules, prend le verre de whisky que lui tend René.

— Je n'ai rien compris à ce qu'on m'a fait lire, dit-il.

Blanche se contracte.

— Comment cela ? demande-t-elle.

— J'avais l'impression de lire une liste de mots qui n'avaient pas de rapport entre eux…

— Ah bon, dit-elle déçue.

Il a les frites sur l'estomac, boit son whisky d'une traite.

— Et vous, ça va ? interroge-t-il en regardant le vide.

Sa mère sourit. Ses dents sont très blanches. Il distingue un peu de rouge à lèvres accroché à son incisive. Il se demande si René l'a vue, cette minuscule trace de sang sur l'émail impeccable. Il se demande si René regarde toujours sa femme.

— Nous avons décidé d'aller au Kenya pour Noël, annonce Blanche en contemplant ses ongles.

— Au Kenya ? dit-il.

— Oui, approuve René, mais il n'ajoute rien si bien que Willy hoche la tête bêtement en espérant que l'un des deux poursuivra parce que, lui, il est à court d'idées pour meubler la conversation.

— On passe à table ? propose Blanche. Il pose son verre vide sur le guéridon, sa mère s'empresse de l'intercepter pour le replacer sur le plateau d'argent où celui de René a également échoué.

— Vous ne serez pas là pour Noël alors ? demande-t-il.

— Non, mon chéri, cela t'ennuie ? répond Blanche avec un air si candide qu'il se met à rire. Encore qu'il serait bien incapable d'expliquer pourquoi il rit. Parfois il rit comme ça, pour rien, d'un rire qui le dépasse et se délite doucement.

— Tu seras à Paris pour Noël ? interroge Blanche.

— Non… Tu sais bien, je vais voir papa et après je m'envole pour Detroit et New York…

— Ah oui, dit sa mère qui élude toujours le sujet lorsqu'il s'agit de son ancien mari.

La soirée s'appesantit. Willy mange à peine mais boit beaucoup. Quand il prend congé, il dévale les escaliers et va vomir derrière un marronnier.

Une fois chez lui, il s'étend tout habillé sur son lit, s'endort comme une masse. Il rêve d'Adèle dont le visage, cette nuit-là, lui apparaît avec une précision extraordinaire. Elle ressemble toujours à Pauline Lafont mais ses traits ont quelque chose de plus innocent, de plus juvénile. Au réveil, ils se sont effacés. Le téléphone sonne, c'est la directrice de casting. Sa voix est chaleureuse ce matin, elle lui annonce que Paul Énard, le metteur en scène, est intéressé par ses essais, il faudrait qu'il revienne pour le rencontrer. Il bafouille : Oui… d'accord… Elle lui propose de passer dans la matinée, dès qu'il peut. Il marque un temps, lâche : O.K., dans une heure, ça va ? Elle lui répond : Très bien, revenez avec la même tenue, les cheveux en arrière comme hier… Vous avez bien compris que le rôle était important ?

Dans la rue, Willy se sent léger comme il ne l'a pas été depuis des années. Il se met à neiger, les parapluies s'ouvrent, où fondent les flocons au terme d'une chute en apesanteur.

Deux heures plus tard, il sort de la production, le scénario du film dans sa poche. La neige a cessé de tomber. Il doit travailler quelques scènes mais à moins d'une catastrophe, le rôle est à lui. Paul Énard est un type jeune et sympathique avec qui il s'est entendu immédiatement. Il a donné tout ce qu'il avait, les rires et les larmes, la douceur de sa voix et cet air canaille qu'il sait adopter sur commande. Tout le monde avait les yeux sur lui, il a senti qu'il impressionnait l'équipe. Il sera fixé dans quelques jours, tu comprends, tu n'es pas connu, lui a dit le metteur en scène, il faut que la production marche mais j'ai confiance...

La seule chose qui l'angoisse maintenant, c'est que son voyage aux États-Unis ne soit pas compromis. Il doit partir pour Francfort dans quelques jours, il faut qu'il sache avant de prendre l'avion, qu'il ait le temps de caler son retour en fonction du début du tournage. Il décide de passer à son cours de théâtre, histoire de voir les copains, mais sur le pont Marie, il fait demi-tour après avoir croisé une fille du cours qui le regarde comme s'il était le Messie. Il se dit qu'il vaut mieux ne pas se montrer, tenir sa langue, rentrer chez lui et apprendre son texte.

Son père lui a laissé un message laconique. « Rappelle-moi. Je t'embrasse. »

Il va pisser, s'aperçoit dans la glace qui surplombe les toilettes. Je suis beau, dit-il à voix haute, et il n'en finit pas de se contempler jusqu'à devenir étranger à son propre reflet. Il va mettre un disque de Gotainer dont les refrains ressemblent à ce qu'il ressent. Il s'affale sur son lit, commence à parcourir le scénario, s'endort.

La sonnerie du téléphone le réveille. C'est ton père, dit la voix de son père qu'il n'a jamais appelé ni par son prénom, ni même papa. Ah salut..., murmure-t-il.

— Tu as reçu le billet ? demande-t-il.

— Oui, super, répond-il, et je pars quand aux États-Unis ?

— Tu as un vol le 26 décembre... Tu es content ?

— Ouais...

Il a du mal à dire merci. Le reste de la journée, il demeure chez lui, allongé sur son lit, apprenant son texte et sombrant dans de brèves somnolences.

Le lendemain, la pluie le réveille en frappant au carreau. Il a dormi comme un bébé, n'a pas rêvé, du moins ne se souvient-il d'aucun cauchemar. Il décide de passer sous sa couette les cinq jours qui le séparent de son départ pour Francfort. Il veut savoir son texte sur le bout des doigts. Ses amis l'appellent, mais il ne répond pas. Il écoute leurs voix sur son répondeur. Aucun de leurs messages ne lui donne envie de rappeler. Sauf peut-être celui de cette fille, Mina Tanner, qu'il a aperçue l'autre jour. Son insistance l'intrigue. Il se demande pourquoi elle tient à ce point à travailler avec lui une scène d'un film de Minnelli dont il n'a jamais entendu parler.

Quand il se lève, c'est pour se planter devant le miroir.

La veille de son départ, Paul Énard lui téléphone, il entend sa voix, se précipite sur le combiné pour décrocher. Paul Énard lui dit que c'est fait, que cette fois, c'est sûr, il a le rôle. Il lui propose de repasser à la production.

— J'ai appris le texte, tu sais, dit-il fièrement.

— Excellent ! répond le metteur en scène qui ajoute : Maintenant, tu l'oublies, tu oublies tout ce que tu sais. Je veux que tu sois vierge…

Il est un peu désarçonné, mais il rit de son rire morne.

Deux heures plus tard, il est face à Paul Énard. Il lui parle de son voyage qui le tracasse. Le metteur en scène le rassure. Le tournage doit commencer dans deux mois, il sera revenu. Willy acquiesce. Après quoi la discussion se concentre sur le personnage.

— Je ne sais pas si je comprends très bien toutes ses motivations, se risque le jeune homme.

— Tu sais toujours pourquoi tu fais les choses, toi ?

— C'est vrai, admet Willy.

— Allez, passe de bonnes fêtes de Noël et reste celui que tu es...

Paul Énard le regarde fixement, pointe son doigt sur lui, c'est ça qui m'intéresse, ce visage intact, lisse, sans la moindre émotion...

— Tu m'as demandé de pleurer, pourtant..., s'étonne Willy.

— Oui bien sûr, et alors ?... Les tueurs aussi, ils pleurent quand ils sont malheureux...

Il se tait, les larmes lui montent aux yeux, il hâte son départ. Dehors, le soleil a crevé les nuages. Il prend le métro, éprouve une inquiétude sourde. Il a le sentiment qu'il ne devrait pas partir, que laisser ce rôle, c'est comme y renoncer. Mais à sept heures, le lendemain, il est dans l'avion pour Francfort, et quand son père l'accueille, au terme d'un vol sans histoire, il lui adresse un beau sourire de reconnaissance. Son père lui annonce qu'il est obligé de s'absenter de Francfort, qu'il a par conséquent modifié son billet d'avion.

— Tu pars demain finalement. Tu as eu de la chance, tous les vols étaient complets, mais il restait une place dans le vol pour New York via Londres. Il nous reste quand même le dîner de ce soir pour être ensemble... C'est bien demain, le 21 décembre ? demande-t-il.

Willy hoche la tête. Il a l'impression que ses vœux les plus secrets se réalisent sans qu'il ait rien à faire. Il s'attendait à devoir passer cinq jours pénibles et le voilà exonéré d'une corvée. Dans la Mercedes paternelle, pour la première fois de sa vie, il se sent envahi par un merveilleux sentiment de puissance. Il est sur le point de dire un mot gentil, merci papa, par exemple, mais il n'y arrive pas. Il parvient néanmoins à se montrer aimable durant toute la soirée. Jane, la femme de son père, est souriante. Il ne l'aime guère mais il fait bonne figure et la complimente sur le repas. Lorsqu'il va se coucher, il est si excité de partir le lendemain qu'il ne trouve pas le sommeil. Il imagine l'Amérique, ce pays mythique qu'il a visité tant de fois au cinéma et qu'il va enfin connaître.

Quand le jour se lève, ce 21 décembre 1988, Willy est le garçon le plus heureux de la planète. Quelques heures plus tard, en début d'après-midi, il monte dans le Boeing 707 de la Pan Am qui l'emmène au paradis. À côté de lui s'installe une jeune fille rousse, une Américaine qui se présente à lui immédiatement.

— Je m'appelle Sarah…

Elle a un visage doux et pâle, des gestes gracieux, les dents parfaitement alignées.

— Moi, c'est Willy, dit-il. Il feuillette une revue mais cherche toutes les occasions d'adresser la parole à Sarah. C'est facile, elle aime parler. Lorsque l'avion décolle, elle lui presse la main.

— J'ai un peu peur en avion…, s'excuse-t-elle. Il lui sourit.

— Tu ne risques rien, tu sais…

Quand un peu plus tard, ils redécollent de Londres après y avoir fait escale, c'est lui qui lui prend la main, croise ses doigts dans les siens et ne les lâche plus. Ils s'endorment ainsi, main dans la main, jusqu'à ce qu'une hôtesse les réveille en proposant des collations. À la jeune femme qui se penche vers lui en lui tendant son verre, il demande : Vous savez où nous sommes, là ?

— Oui, nous survolons l'Écosse, répond-elle avec un sourire fatigué.

Il a juste voulu faire l'intéressant devant Sarah. Celle-ci tourne son beau visage vers le hublot. Alors, il ferme les yeux. C'est la première fois de sa vie qu'il pense à Adèle sans douleur, avec cette joie que l'on ressent au seuil d'un grand bonheur, quand le temps est venu de faire la paix.

12

Mina et Willy

(1988)

Quand elle l'a croisé sur le pont Marie, son cœur s'est accéléré. Il ne l'avait pas vue, il ne la voit jamais. Elle n'a pas osé l'interpeller mais quand il est arrivé à sa hauteur, elle s'est quasiment jetée sur lui. Ah salut, Mina, lui a-t-il dit. Il l'a regardée une seconde avant de l'embrasser en pensant à autre chose. Il sentait l'eau de toilette, une odeur d'acier et d'herbe fraîche.

Elle a essayé de le retenir en lui parlant d'une scène pour laquelle elle voulait qu'il lui donne la réplique. Il a hoché la tête. O.K., O.K.! a-t-il lancé en faisant demi-tour. Tu veux que je te fasse une photocopie ? a-t-elle crié. Il a levé le pouce sans se retourner.

C'est le professeur qui lui a proposé d'être Shirley MacLaine dans cette scène de *Comme un torrent* où, face à elle, Frank Sinatra interprète un écrivain fasciné par l'échec. Shirley est une pute au grand cœur qui aime Frank à la folie. Dans le film, Shirley s'appelle Ginny et Frank s'appelle Dave. Mais Mina, c'est à Willy qu'elle pense quand elle répète cette scène. Tant pis s'il ne fait pas attention à elle. Elle est patiente, un jour il ouvrira les yeux. Il verra qu'elle l'aime sans condition, comme Ginny aime Dave, et que l'amour parfois est si évident qu'il nous remplit sans qu'on ait besoin de le ressentir. Il verra aussi que pour l'aimer bien, elle n'est pas obligée de le comprendre. C'est ce que Ginny dit à Dave : « Ce n'est pas parce que je ne te comprends pas que je ne peux pas t'aimer... » Ça le secoue, Dave, qu'elle lui dise cela, la petite Ginny. À la fin, elle meurt parce que c'est un film, mais elle, Mina, elle a dix-huit ans et la vie devant elle.

Elle a dix-huit ans et elle aime Willy Martinez qui en a vingt-quatre. Il est l'un des plus âgés du cours de théâtre, mais en fait on lui donne à peine vingt ans. On raconte qu'il a été mêlé à une sale histoire il y a quelques années. La rumeur court sans qu'on sache vraiment de quoi il s'agit. Il est vite devenu une star du cours. Sa beauté, son charisme, son âge aussi ont façonné cette aura que la rumeur alimente à son insu. Beaucoup de filles voudraient qu'il leur donne la réplique. Marivaux, Victor Hugo, Racine, Molière, Ibsen, Marlowe, Gombrowicz, tout est bon pour l'attirer. Souvent, il refuse, il dit qu'il a trop de textes à apprendre, qu'il a ses propres rôles à travailler. Mina est sûre que quand il aura lu la scène qu'elle veut jouer avec lui, il acceptera.

Elle l'observe qui longe le parapet, les yeux sur la Seine. Il a une silhouette longiligne, un vieux manteau gris qui lui descend jusqu'aux chevilles et qu'il porte ouvert malgré le froid. Elle serre son col, noue son écharpe sous le menton, le regarde disparaître dans le métro avant de reprendre son chemin. Lorsqu'elle arrive au cours, Perrine Samazeuil fait des messes basses avec Laurent Delmas. Une belle fille, cette Perrine, avec des nattes brillantes, un grand front clair et une bouche en forme de cœur. Elle ne dit jamais bonjour, offre son sourire sans attendre qu'on y réponde, comme si elle vivait dans un espace inatteignable. Un espace VIP. Laurent Delmas et Willy Martinez sont les seuls à pouvoir pénétrer dans cet espace. Ils sont à part, surtout Delmas qui entame sa quatrième année dans cette école — un record de longévité.

Mina, elle, passe son chemin, les yeux sur ses bottines dont les semelles sont en train de rendre l'âme.

Cela fait trois jours qu'elle n'a pas mangé. Autant par souci d'économie que pour devenir aussi mince que Perrine. Ce soir, elle s'accordera un œuf dur et demain, elle tâchera de se faire inviter à la soirée qu'organise Nathan Peuloux. Il lui a donné la réplique dans *L'Apollon de Bellac*, il n'a rien d'un Apollon pourtant, mais il est gentil avec elle.

À l'entrée de la salle B, le professeur soulève le menton de Mina, il l'aime bien et veut toujours qu'elle marche la tête haute.

— Tu as préparé quelque chose ? lui demande-t-il.

— Non, lui dit-elle, mais Willy a accepté de me donner la réplique pour le Minnelli.

Le professeur lui fait un clin d'œil, la laisse passer, crie, on ferme !, houspille les retardataires et claque la porte, ce qui donne à Mina, chaque fois, l'impression d'être prisonnière d'un tombeau. L'obscurité n'est pas totale parce que la scène est allumée. Perrine et Marc doivent jouer une scène des *Amoureux* de Goldoni, personne ne voudrait rater cela.

Tout le cours les écoute religieusement. Ils sont si vivants, si beaux, si rayonnants qu'ils semblent appartenir à une espèce supérieure. Seul le professeur trouve des critiques à leur adresser lorsqu'ils ont fini. « Méfie-toi de ta virtuosité », conseille-t-il à Perrine qui l'écoute en faisant la grimace parce qu'elle s'est tordu la cheville. Il dit à Marc qu'il doit juste penser à sa partenaire — davantage encore. Marc Rudel est un acteur-né. Un type adorable en plus. Tout le monde le compare à Jean-Paul Belmondo. Il a cette aisance naturelle, cette façon de jouer avec sincérité et humour, cette intégrité qui lui a été donnée avec le talent. Un jour, c'est sûr, il sera au sommet.

Ils reprennent plusieurs fois la scène et, à la fin, les élèves applaudissent. C'est au tour de Laure Pussac qui a préparé un monologue. Mina fixe son petit visage blême aux lèvres rouge sang, mais elle ne l'écoute pas, elle pense à Ginny qui aime Dave, et que Dave rabroue parce qu'il est amoureux d'une autre. Elle pense que l'amour est toujours pour celles qui n'en veulent pas. Elle pense que Dave comme Willy sont des animaux blessés qui ne supportent pas qu'on les prenne pour ce qu'ils sont. Elle pense qu'avec ces hommes-là, tout est compliqué et passionnant. Ce sont les seuls qui l'intéressent.

Nathan lui fait un petit signe de la main, elle lui répond par un sourire.

Elle veut réussir vite, elle est prête à tout.

Après le cours, elle a rendez-vous pour un job qui lui permettra de gagner un peu d'argent et de voir venir. Un job d'habilleuse dans un salon de prêt-à-porter. Elle est inscrite sur un fichier. On l'appelle régulièrement pour ce genre de chose. La dernière fois, elle a distribué des tracts en patins à roulettes, devant des boulangeries industrielles dont elle faisait la promotion. Elle ne savait pas bien patiner, elle s'est même cassé la figure lors de son essai devant l'employeur, mais il l'a quand même prise parce qu'elle est mignonne. En une semaine, elle est devenue un as du patin et les grandes surfaces de la région parisienne n'ont plus eu de secret pour elle. Ce soir, c'est différent. Elle est censée être précise et rapide, les mannequins ont très peu de temps pour changer leurs vêtements entre deux défilés et elle est là pour les aider. Préparer chaque détail de leur uniforme, leur présenter les accessoires dans l'ordre, lacer leurs chaussures, arranger leurs cols. Son futur employeur lui explique ça d'un air morne. Il a une quarantaine d'années, le visage mince, les yeux vides. Il la regarde à peine. Il lui explique que le salon est du 16 au 21 décembre, qu'elle doit être là tous les soirs une heure avant le défilé, que la ponctualité est essentielle. Elle acquiesce, signe les papiers, empoche son contrat. Elle débute le surlendemain, six jours de boulot, c'est mieux que rien.

Le matin qui suit, elle tombe sur Nathan Peuloux lorsqu'elle arrive en tennis pour un jogging autour de l'île Saint-Louis. Elle s'est inscrite à tous les footings organisés par son cours de théâtre parce que les plus assidus ont droit à un mois gratuit. Nelly, la secrétaire qui est aussi la compagne du directeur de l'école, a mis ce système en place pour encourager les élèves à s'occuper de leur corps.

— Tu vas courir ? lui demande Nathan.

— Ben oui, dit Mina.

Elle attend qu'il l'invite à sa soirée mais il se tait, la regarde bizarrement.

— J'avais jamais remarqué que tu étais aussi petite, ajoute-t-il.

Elle se force à rire. Il rit aussi et s'éloigne. « On y va ? » lance Nelly qui inspire profondément pour s'oxygéner. Ils sont quatre seulement, regroupés dehors, quai d'Anjou, près des escaliers de pierre qui mènent à la Seine, peu motivés pour la course mais espérant se voir récompensés de leurs efforts en ne payant pas ce mois-ci. Ils descendent le long des quais, trottent à petites foulées dans ce matin clair où le froid paralyse les visages.

Mina est à la traîne, en manque d'air depuis que Nathan l'a toisée, comme si brusquement il réalisait qu'elle n'avait aucun intérêt.

Une heure plus tard, le petit groupe remonte les escaliers, soufflant et toussant. Mina est arrivée un peu après, épuisée. Ses oreilles bourdonnent. Olivier Pagès va s'acheter un sandwich qu'il partage avec les autres. Elle se précipite dans une boulangerie dont elle sort avec trois pains au chocolat qu'elle engloutit dans le métro. Inutile d'aller en cours aujourd'hui, de toute façon Willy n'est pas venu et elle ne peut pas travailler sans lui. Lorsqu'elle est de retour chez elle, son lit est encore tiède. Elle appelle Willy mais tombe sur son répondeur. Elle lui laisse un message confus. Damien, son colocataire dort toujours, elle l'entend ronfler à travers la cloison. Elle ôte ses tennis, s'allonge sous la couette, s'endort immédiatement.

C'est le bruit de l'eau dans les canalisations qui la réveille une heure plus tard. Son oreiller est trempé, elle renifle l'odeur âcre de sa transpiration. Damien sort de la salle de bains, à poil comme d'habitude. Sans bouger de son lit, Mina distingue ses fesses blanches et sa taille cambrée.

— Tu as bien dormi ? lui demande-t-elle.

Il réapparaît dans l'embrasure de la porte, le sexe à l'air, tu ne dors pas ?

— Ben non, dit-elle.

Il met un disque, Orchestral Manœuvres in the Dark dont il a acheté la compilation et qu'il passe en boucle depuis des jours, et va s'habiller en disant, putain, ça caille...

Elle reste allongée, contemple sa chambre, la nudité des murs, la moisissure au plafond qui semble avoir gagné du terrain, l'ampoule qui pend, ronde et translucide comme une bulle de savon qui renoncerait à crever.

— Tu n'as pas cours aujourd'hui ?

Elle essaie de remuer mais ses yeux se sont de nouveau fermés. Elle pense à Willy. Elle pense que parfois il faut aimer pour deux. Damien vient jusqu'à elle, se penche au-dessus de ses cheveux bouclés. Cette fois, il a un gros pull blanc, des jeans et des chaussettes en laine. Il répète : tu n'as pas cours aujourd'hui ?

— Non... Laisse-moi dormir... Demain, je travaille pour un salon de prêt-à-porter, comme habilleuse.

Il enfile ses chaussures marron dont les semelles épaisses lui rappellent les après-skis qu'elle portait enfant lorsque ses parents l'emmenaient à la montagne. Elle aimait la neige et cette sensation d'être à l'abri, la nuit, dans le chalet où sa mère venait l'embrasser avant d'éteindre. Damien claque la porte en sifflotant, elle se rendort.

Les jours qui suivent, elle va en cours en espérant voir Willy mais il n'est pas là. Il est sur un casting, lui dit Nelly lorsqu'elle s'enquiert de son absence. Elle n'ose pas insister, ni laisser un message pour le cas où il passerait. D'autant que Nelly entreprend de composer un numéro avec le nouveau téléphone qu'on lui a installé, un téléphone à touches flambant neuf.

Mina va travailler la mort dans l'âme. Les photocopies de sa scène sont dans son sac, abîmées à force d'avoir été trimballées. Elle ne veut pas s'en séparer. Le salon du prêt-à-porter féminin a ouvert ses portes et, dans les coulisses, tout le monde court, s'apostrophe, se démène tandis que les mannequins, de longues jeunes femmes aux visages impavides, exécutent des exercices de relaxation. Mina, elle, fait le compte de chaque accessoire pour être sûre de ne pas en oublier, égratigne avec un canif les semelles des chaussures pour éviter les glissades, boutonne et déboutonne inlassablement les vestes, les chemises, les cardigans. Quand elle a cinq minutes, elle relit son rôle, le mémorise peu à peu, comme si les mots de Shirley MacLaine prenaient place en elle, se substituant à ceux qu'elle n'a jamais su prononcer. « Ce n'est pas parce que je ne te comprends pas que je ne peux pas t'aimer… »

Tous les soirs elle appelle Willy et, tous les soirs, tombe sur son répondeur. Le 21 décembre, le salon prend fin. Elle a rencontré deux types sympas qui font du business de fringues. Ils l'invitent à boire un verre, elle accepte parce qu'elle n'a rien d'autre à faire. Dans le café où ils l'ont emmenée, leur attitude change imperceptiblement. Ils se mettent à la tutoyer et parlent devant elle des affaires qu'ils ont réalisées et de l'argent qu'ils ont gagné.

Ils ont bu trois demis pendant qu'elle sirotait sa menthe à l'eau. Ils la regardent rêveusement porter sa paille à la bouche et lui proposent de les accompagner dans leur entrepôt qui est juste à côté. On a des robes somptueuses, dit l'un des deux, le plus brun, celui dont les yeux verts tranchent avec ses sourcils très noirs.

Elle accepte de les suivre, par curiosité, parce qu'ils ont l'air de l'avoir à la bonne. Elle se dit que si elle repart avec une robe, ma foi, ce sera toujours ça de pris.

Cinq minutes plus tard, ils entrent dans l'entrepôt, Mina se déplace entre les portants où des vêtements de toutes les tailles attendent d'être expédiés aux quatre coins du monde. Elle passe la main sur les étoffes, déploie les jupons, s'arrête sur un fourreau pailleté qui brille comme une rivière de diamants. Elle est belle, hein ? dit l'homme aux yeux verts. Il ajoute, suis-moi, et elle le suit. Ils prennent un escalier en fer qui monte aux bureaux. Une lumière d'hiver éclaire le mobilier en aluminium. Il lui demande si elle veut bien se déshabiller. Elle se déshabille. Elle n'éprouve rien, elle veut juste repartir avec une robe. Elle se retrouve par terre, à quatre pattes. L'homme essaie de la pénétrer mais il n'y arrive pas. Il lui dit, détends-toi. Elle n'est pas tendue pourtant, c'est son corps qui refuse, son sexe qui ne veut pas s'ouvrir. L'homme s'y prend à plusieurs fois mais sa queue lui fait mal, il renonce. L'autre les rejoint. C'est un type rondouillard aux lèvres épaisses. Il dit, alors ? Elle est O.K. mais c'est un peu difficile… Essaie si tu veux, répond l'homme aux yeux verts. Elle entend sans écouter. Le deuxième arrive à la pénétrer et jouit très vite. Quand c'est fini, Mina se rhabille calmement.

— Tu peux aller choisir quelque chose, lui dit celui qui vient de jouir.

Mina descend, va directement vers le fourreau pailleté. Elle ne l'essaie pas, elle ne le portera sans doute jamais, mais elle n'hésite pas une seconde.

Une fois dehors, elle serre son trophée contre son cœur et s'engouffre dans le métro. Lorsqu'elle arrive chez elle, Damien regarde la télévision, assis par terre. Il écoute le journal du soir. Mina entend qu'un avion s'est écrasé au-dessus de l'Écosse. Pauvres diables, dit Damien. Elle hoche la tête mais elle s'en fout. De toute façon, elle ne prend jamais l'avion et personne ne prend l'avion autour d'elle. Elle ôte la robe pailletée de son sac en plastique, la suspend devant Damien, comment tu la trouves ?

Damien jette un œil, reporte ses yeux sur l'écran de télévision. Elle insiste, alors, comment tu la trouves ?

— C'est pour toi ?

— Ben oui, répond Mina. Tu veux que je l'essaie ?

Damien marmonne, oui, si tu veux. Il a l'air un peu contrarié des allées et venues de Mina pendant qu'il regarde le journal télévisé, mais les filles sont comme ça, il le savait quand il a accepté de partager ce minuscule deux-pièces avec elle. Elle va se déshabiller près de son lit, il la reluque en vitesse, le temps d'apercevoir ses fesses un peu grasses mais appétissantes. Lorsqu'elle se retourne, elle a un sourire rayonnant. Le fourreau la boudine aux hanches mais dans l'ensemble il met en valeur ses formes et il aime plutôt ça. Ce qu'il n'aime pas, c'est l'expression qu'elle a, l'expression de quelqu'un qui court après des chimères.

— Et tu la mettras quand, ta robe ?

— J'sais pas trop…

— Tu es complètement folle d'avoir acheté ça, tu as dû la payer une fortune…

— On me l'a donnée…

Damien regarde Mina avec des yeux pleins de soupçons. Il répète, on te l'a donnée ?

Elle a disparu de son champ de vision, se regarde dans le miroir rectangulaire qu'ils ont fixé sur la porte de la salle de bains. Elle hausse la voix.

— Tu sais, les choses, elles sont là, il suffit de les prendre. Je la porterai pour jouer Ginny, je suis sûre que Willy me trouvera belle, habillée de lumière…

Damien hausse les épaules. À la télé, une habitante de Lockerbie explique qu'elle a entendu un bruit formidable sans comprendre ce qui arrivait et qu'après les maisons brûlaient autour d'elle. Elle a les larmes aux yeux.

Cette nuit-là, Mina dort comme une bienheureuse, sa robe de princesse à côté d'elle. Au matin, elle se résout à la ranger dans sa garde-robe, enfile un jean et ses vieilles bottines, vérifie que le texte de *Comme un torrent* est toujours dans son sac. Damien ne s'est pas réveillé, il a un sommeil de plomb. Lorsqu'elle arrive au cours, Nelly l'intercepte en criant, Mina !!

Elle avance timidement dans le petit bureau.

— Willy a laissé un message hier ou avant-hier, j'ai complètement oublié de te le dire. Il est parti chez son père, en Allemagne, il revient dans un mois. Faut que tu te trouves une autre réplique pour ta scène… De toute façon, il a été pris sur le film…

— Dans un mois ? murmure Mina.

Elle s'éloigne à reculons, le thorax privé d'air, comme si on l'avait frappée en pleine poitrine.

— Fais pas cette tête, ce n'est pas la fin du monde, dit Nelly qui a relevé le front et voit la jeune fille pâlir. Mais Mina a déjà détalé, elle dévale les escaliers de bois, butte sur un pavé sous le porche, traverse la rue et descend sur les quais où la pluie s'est mise à tomber. Elle se dit, c'est fini, il ne me donnera pas la réplique, je ne le reverrai jamais, et elle a beau songer que c'est idiot, qu'il est juste en vacances, elle a la certitude que quelque chose a pris fin, que ce poids sur son cœur est le poids d'un amour qui n'a plus d'objet.

Sous le crachin, elle avance tête nue. Un couple d'amoureux est assis sur le parapet, le visage offert au ciel. Elle s'arrête devant les deux jeunes gens qui rient en recueillant la pluie dans leur bouche. Mina fait un pas de côté vers l'eau — un pas de plus et c'est la chute dans le fleuve. Elle a compris qu'elle ne fera jamais partie du monde des vivants, ceux qui se tiennent la main en marchant sous l'averse. À quoi bon l'espérer ? Elle ferme les yeux, lâche son sac, s'effondre plus qu'elle ne saute, fait si peu de bruit en tombant que les amoureux ne se retournent pas.

13

Laure et Laurent
(1989)

Et tout à coup, il est devant elle, le nez rougi par le froid, la bouche ouverte, prêt à demander pardon. Elle baisse les yeux, esquive un sourire qu'elle efface aussitôt. Il a fait tout ce chemin pour elle, elle ne peut l'ignorer, il l'a cherchée toute la soirée et trouvée là, dans ce café. Il s'assoit en silence, sans la quitter des yeux, comme s'il avait besoin de vérifier que c'est bien elle, repliée derrière une table, griffonnant sur un cahier et buvant un bordeaux quelconque.

— Tu veux quoi, Laurent ? demande-t-elle avec cette pointe de lassitude qu'elle croit feindre alors que, bel et bien, elle est lasse.

Une pluie invisible s'est mise à tomber qui se matérialise à la lumière des lampadaires. Un groupe de jeunes gens est entré dans le café, prenant d'assaut le bar et commandant des bières bruyamment. Il est bientôt deux heures, la nuit commence.

— Je ne veux rien… Enfin, oui, je…, murmure Laurent Delmas en observant ceux qui viennent d'arriver. Il allume une cigarette, puis, reposant le briquet, laisse sa main tomber sur celle de la jeune femme. Elle la retire sans brusquerie, tout doucement, et cette douceur l'atteint davantage que si elle l'avait giflé.

— Je suis fatiguée, dit Laure Pussac.

Elle a de grands yeux bruns, des sourcils en demi-lune, d'une étonnante symétrie, des cheveux coupés au carré, châtains tirant sur l'auburn, une bouche petite et ronde qu'elle dessine soigneusement, ce qui lui a valu le surnom de Cerise.

— Je suis désolé, soupire-t-il, je te demande pardon...

Cette fois, c'est elle qui lui prend la main avec une fermeté qui l'étonne. Elle serre ses doigts et à mesure qu'elle se met à parler, presse davantage son index et son majeur réunis. Il ne regarde plus les autres, se concentre sur elle, sur son visage de porcelaine qui tour à tour le fait plonger et le ramène à la surface.

Il écoute à moitié ce qu'elle dit car ce sont toujours les mêmes mots, la même litanie : mais tu te rends compte de ce que tu as fait, oh mais tu réalises ? Tu n'en as pas marre de faire ce genre de choses, tu n'en as pas marre de perdre le contrôle, de te conduire comme... et la prochaine fois ce sera quoi ? Tu vas grandir, oui, et tu veux un enfant en plus, mais tu t'imagines quoi, et comment on le nourrirait, cet enfant ? J'en ai assez, je veux des preuves maintenant, des preuves, tu m'entends !

Cette fois, il l'interrompt, des preuves, comment ça des preuves ?

Elle a retiré sa main, allume une cigarette qu'elle a piochée dans son paquet de Royale.

— Tu refumes ?

— Oui.

167

Elle le défie du regard, s'écarte de la table, se tient très droite, redressée comme un combattant qui ne veut rien lâcher. Elle tire profondément sur sa cigarette, recrache la fumée en des expirations successives, répète : je veux des preuves !

Derrière le bar, la serveuse harassée crie à la cantonade : dernier verre, on ferme !

Delmas se lève, tu veux quelque chose ? Il va commander un demi pour lui, revient.

Laure écrase sa cigarette, détendue, enivrée par le vin et le tabac.

— Tu savais qu'une femme peut ignorer sa grossesse et garder un fœtus calciné dans son ventre pendant des années ? demande-t-elle brusquement.

Il fait non de la tête, se demande bien pourquoi elle lui parle de ça, avale sa bière presque d'une traite.

— C'est à la fois horrible et magnifique, non ?

— Je ne vois pas ce qu'il y a de magnifique, répond-il sèchement, sonné d'avoir bu si vite.

Ils se regardent alors longuement, leurs mains se prennent d'un même mouvement cette fois, elle n'a pas résisté bien longtemps, mais à quoi bon faire semblant ? Elle se ressaisit malgré tout un instant, alors, ces preuves ? Pour la vingtième fois, il lui dit, je ne le ferai plus, pardon, je ne peux pas vivre sans toi…

Ils sortent en vacillant, allant d'un pas assorti quoique mal assuré au long des rues désertes. L'hiver n'en finit pas et, avec lui, cette pluie fine qui poisse la peau et les vêtements.

Ils arrivent chez eux, s'effondrent sur le canapé en s'embrassant. Il répète, je vais me racheter, tu vas voir, fais-moi confiance.

Le lendemain, un soleil de printemps s'est levé. Laure se blottit contre Laurent Delmas, respire son odeur tiède, caresse son torse glabre, regarde son beau visage aux yeux clos. Elle aimerait le peindre, fixer pour toujours cette beauté abandonnée dans le sommeil. Elle pose ses lèvres sur son épaule, puis elle quitte le lit, va au salon, ouvre la fenêtre qui donne sur les toits. Il fait un temps glacial mais le ciel est limpide et c'est samedi, la journée leur appartient.

Elle branche la radio, prépare le café, s'attelle à la vaisselle. Elle savonne les assiettes gaiement, gratte la poêle avec entrain, jusqu'aux verres dont elle redoute la fragilité et qu'elle ne peut astiquer avec l'acharnement vigoureux qui chez elle est une marque de bonne humeur, mais elle s'applique joyeusement — je retrouve les gestes de ma mère, et ceux de ma grand-mère, songe-t-elle quand elle se livre aux tâches domestiques, armée de cette vitalité que Laurent soupçonne d'être forcée parce qu'il ne comprend pas qu'on puisse trouver de la plénitude à rendre des objets propres.

La radio annonce les films nommés aux César, la cérémonie est ce soir, elle espère que Laurent voudra bien regarder, lui qui répugne à ce genre de spectacle. Cela fait deux mois qu'il n'a pas travaillé, et encore, c'était une vulgaire pub dont il s'est acquitté à contrecœur. Peu à peu, il a renoncé à devenir comédien, elle le devine, elle le constate. Elle voudrait l'encourager mais elle sent bien que sa chance est passée, que malgré son talent, sa beauté, son

aisance, il n'y arrivera plus — a-t-il failli ou le feu sacré l'a-
t-il quitté ? N'était-ce qu'une question de veine, d'occasion, de hasard ? Longtemps elle a cru que le travail seul
comptait, que les aubaines venaient au bout d'une longue
route de labeur, mais à présent, elle n'en est plus aussi sûre.
Elle a croisé tant de gens qui trimaient nuit et jour et qui
sont restés dans l'ombre, jamais récompensés, toujours
écartés comme si la réussite, même passagère, même fugace,
ne voulait pas d'eux. Pour elle, c'est différent, elle faisait
fausse route en espérant monter sur scène. Elle a vite compris que sa voie était ailleurs et désormais elle est écrivain,
même si elle n'ose pas le dire comme ça quand on lui
demande ce qu'elle fait. Elle gagne sa vie en corrigeant des
manuscrits dans une petite maison d'édition. Ce n'est pas
un métier d'avenir mais elle compte sur ses livres. Son premier roman est sorti l'année précédente et il a bien marché,
elle est même passée à la télévision où elle a joué les
modestes afin de masquer sa timidité et son mépris des
auteurs qui parlent de leurs écrits avec tellement d'aplomb.
Comment peut-on commenter ses propres textes, pense-
t-elle tout en rinçant les verres — elle n'en a pas cassé un,
cela aussi est un motif de satisfaction, minuscule, dérisoire
et bien réel cependant.

Isabelle Adjani, Isabelle Huppert, Catherine Deneuve,
Charlotte Gainsbourg et Miou-Miou sont en lice pour le
César de la meilleure actrice.

Laurent arrive, nu comme un vers, tendre, la prenant
dans ses bras tandis qu'elle aligne les verres dans le placard
après les avoir essuyés avec précaution.

Il l'embrasse dans le cou, la serre contre lui, presse son

sexe contre ses fesses. Puis il boit le café qu'elle lui tend, allume une cigarette, tousse, ferme la fenêtre, tousse de nouveau. Elle a subitement envie d'écrire, s'installe derrière sa machine électrique, remue des papiers, place une feuille dans le chariot, fixe longuement le rectangle blanc, inerte.

— Je vais acheter des cigarettes, lance Laurent, déjà habillé — le pull et le jean de la veille jetés par terre, les mêmes chaussettes sales et son caban bleu qu'il traîne depuis au moins dix ans à en juger par son aspect.

La porte claque, elle entend ses pas dans l'escalier, se lève, ouvre la fenêtre de nouveau, frissonne. Une infinie tristesse la saisit au moment où elle se rassoit devant sa machine à écrire. Où sont passés les mots qui se bousculaient hier soir ? Comment a-t-elle fait pour son premier roman ? Elle se souvient qu'elle l'a écrit dans un état d'inspiration qui chaque matin la faisait bondir du lit et se jeter au travail avant même de boire son café. Où est passée son énergie ? Elle contemple la petite cuisine encastrée comme un placard dans le salon, les verres si parfaitement rangés au-dessus de l'évier, les assiettes qui sèchent dans l'égouttoir, les murs crème de l'appartement où quand ils se sont installés il y a quelques semaines, pleins de leur amour et de cette ardeur à aménager leur nid, ils ont cloué des cadres anciens achetés à la brocante, de toutes tailles et de toutes épaisseurs — vides mais si nombreux et certains si ouvragés que cela donnait du cachet au crépis sans âme. Son regard se pose sur chacun des cadres — le grand biseauté, celui en bois de palmier, le petit doré dont les angles laissent apparaître le plâtre blanc, le très étroit aux bords arrondis,

171

conçu, dirait-on, pour une silhouette de Giacometti —, revient à la feuille blanche, repart au petit bonheur jusqu'au bout du couloir où Laure distingue le sac-poubelle avachi que Laurent a oublié de descendre. Fait chier, dit-elle à haute voix.

Elle va mettre un disque, hésite entre Polnareff et Mort Shuman, choisit finalement William Sheller, écrit une phrase. Elle a envie de raconter l'histoire d'une religieuse qui renonce à ses vœux, elle est capable de dire ce qu'on ressent quand on renonce à ce qu'on prenait pour sa vocation. Elle a envie de parler des erreurs que l on commet, des destins illusoires qui avancent masqués comme de faux amis. Elle a envie de regarder le monde à travers les yeux d'une femme qui est demeurée enfermée pendant dix ans. Elle aime les personnages purs, vibrants, qui se tiennent droit, se trompent mais affrontent leurs démons sans geindre — dussent-ils se perdre.

Elle se lève de nouveau, va fermer la fenêtre. Les nuages ont doucement regagné leur empire, et le ciel semble guetter l'averse. Il est plus de treize heures, elle a faim, espère que Laurent aura la bonne idée de rapporter de quoi manger.

Pas à boire surtout car elle ne résisterait pas. D'ailleurs, pourquoi résister ? Elle sait qu'il y a un fond de bouteille dans le réfrigérateur, va le vérifier aussitôt, hésite, referme la porte, l'ouvre encore, se sert un verre, jette la bouteille dans la poubelle que Laurent a laissée dans le couloir.

Elle boit une gorgée, le vin est frais, minéral. Elle retourne à son travail, écrit une deuxième phrase, se sent d'humeur à pondre trois chapitres. Laurent arrive à ce moment-là, au moment précis où la joie de Laure est revenue, où l'espoir parcimonieux que dispense l'écriture a repris le dessus sur le découragement.

— Regarde ce que je rapporte ! s'exclame le jeune homme.

Il extrait de l'intérieur de son caban un petit chat grisâtre que Laure contemple avec dégoût, mais il sort d'où ?

Laurent ne répond pas, tient le chat d'une main, les doigts sous son ventre, l'exhibe, le hisse au-dessus de sa tête.

— Laurent, il sort d'où ce chat ? répète Laure qui finalement aurait préféré qu'il rapporte du vin blanc.

— Il allait à l'abattoir alors je l'ai sauvé...

Il est tout content, repose le petit chat qui reste là, en plein milieu de la pièce, tétanisé, les membres raidis par l'effroi. Laurent s'accroupit, l'attire, l'apprivoise, susurre, minou, minou. Il demande, y a du lait ? Laure réplique qu'ils n'en boivent jamais et que d'ailleurs ce n'est pas si bon pour les chats, le lait. Laurent va alors chercher une coupelle qu'il remplit d'eau et dépose délicatement devant le chaton. L'animal s'approche, flaire la porcelaine sans boire. Laurent le regarde comme s'il voyait son propre enfant faire ses premiers pas.

— Qui te l'a donné ? répète Laure.

— Gustave Mâchefer. Il allait le tuer. Sa chatte a eu une portée de six chatons et il n'en a casé que cinq...

Il dit cela sans quitter l'animal des yeux. Il rajoute en murmurant, je ne pouvais pas laisser faire ça...

— Oh non, bien sûr, ironise Laure.

Elle va se rasseoir devant sa machine, contrariée, frustrée.

— Tu n'as pas l'air contente, murmure Laurent en allumant une Royale, puis il s'approche d'elle timidement, pose sa main sur sa nuque, caresse son cou. Elle se dégage en douceur, sous prétexte de tirer une bouffée de sa cigarette.

Il insiste, mais qu'est-ce que tu as ?

Le petit chat s'est familiarisé avec la moquette, joue avec le pull que Laurent a jeté par terre en arrivant.

— Ton chat est en train de mettre ton pull en pièces, fait remarquer Laure.

Laurent se précipite en criant non ! d'une voix si ferme que le chaton déguerpit.

— Si tu hurles comme ça...

Il ramasse son pull, constate les dégâts, le balance sur le canapé, dit : comment on va l'appeler ?

— C'est un chat ou une chatte ?

— Un chat.

— Julius.

— Julius, répète Laurent, Julius, oui, pourquoi pas ?

Il va à la recherche de Julius dans le couloir, miaule : Julius, Julius, où tu te caches ? Il disparaît dans la chambre. Laure l'entend parler au petit chat d'une voix si tendre, si patiente qu'elle ne peut s'empêcher de sourire.

Elle n'a pas écrit une ligne qu'il revient, portant Julius. Le chaton se débat faiblement.

— Dans trois semaines, tu en auras marre et tu oublieras de le nourrir, lâche Laure.

— Mais tu ne comprends pas, se défend Laurent, tu ne comprends pas que c'est une preuve ça !

Elle le regarde, stupéfaite.

Il s'assoit sur le canapé, pose Julius entre ses pieds, examine Laure dont il devine chaque sentiment, si infime soit-il — et c'est parce que je la connais si bien que je l'aime tant, non pour ses secrets, mais pour sa limpidité, se dit-il, émerveillé de découvrir que l'amour ne ressemble pas à l'idée qu'il s'en faisait avec d'autres avant elle.

— Je dois me racheter… Je commence…

— Cet homme est taré ! dit Laure en prenant le plafond à témoin.

Mais elle rit quand même, elle ne sait pas pourquoi il l'attendrit à ce point. Laurent s'approche d'elle de nouveau et l'embrasse à pleine bouche, debout, les deux mains tenant son visage offert. Il lui prend la main, l'emmène à la chambre. Le temps qu'ils fassent l'amour, dans le désordre des draps, Julius n'existe plus. Ils émergent au cœur de l'après-midi, affamés, heureux. Le chat a trouvé la poubelle et l'a consciencieusement lacérée. Les ordures jonchent le sol sur un périmètre circonscrit mais conséquent.

— Je m'occupe de tout ! lance Laurent qui anticipe les hurlements de Laure. Il ne veut plus qu'elle crie, qu'elle s'en aille, qu'elle menace. Quand il a ramassé les détritus, refermé le sac, nettoyé le sol, il s'aperçoit que Julius a pissé près de la fenêtre. L'odeur ne trompe pas, ni l'auréole sombre sur la moquette verte.

— Bon, commence-t-il. Il faut aller lui acheter une litière. J'y vais, et après… Après on fait ce que tu veux…

Elle a déjà pris une éponge et un produit spécial, mis son nez sur la tache avant de frotter.

— Oh j'aimerais bien qu'on regarde la soirée des César chez Jules et Sacha, dit-elle.

175

Ce sont leurs meilleurs amis, les seuls qu'elle supporte à vrai dire, depuis qu'elle a renoncé au théâtre.

Laurent acquiesce, accommodant, enjoué, prévenant — se pourrait-il que cela dure un peu, quelques jours au moins ?

— Je te laisse Julius ! Et toi, sois sage avec ta nouvelle maîtresse, dit-il en sortant.

Le parfum puissant de pin et d'eucalyptus ne masque pas tout à fait l'odeur d'urine, mais Laure arrête de frotter quand la moquette pâlit. Elle décide d'éduquer le chat, de lui apprendre qu'on ne pisse pas n'importe où. Elle le prend, le tape sur l'arrière-train, lui met le museau dans sa tache, frappe de nouveau, un peu plus fort, y prend plaisir.

En début de soirée, Laurent n'est toujours pas revenu. La nuit est tombée depuis longtemps. Laure allume la radio, appelle chez Jules et Sacha mais personne ne répond. Son angoisse croît, se construit patiemment au fil des minutes. Elle est assise face au chat qui s'est blotti sur le canapé. Ils se dévisagent sans pitié.

Elle ressasse les événements, son amour, sa vie : avant-hier, Laurent s'est allongé en plein milieu de l'avenue, ivre mort, attendant qu'une voiture l'écrase et c'est ce qui serait arrivé si des passants, rares au beau milieu de la nuit, ne l'avaient relevé, obligé à rentrer chez lui, et voyant qu'il refusait, appelé la police qui a fini par emmener au poste le jeune homme furieux. Hier, il l'a cherchée partout pour se faire pardonner. Ce soir, il sautera peut-être d'un pont ou jouera à la roulette russe. Il ne sait pas vivre sans se persécuter. Les yeux de Laure où des larmes commencent à couler, vont de sa machine à écrire au petit chat qui a sorti ses griffes et tressaute chaque fois que la jeune femme se déplace. Elle entend qu'Adjani a raflé le César pour *Camille Claudel*, entend aussi, sans l'écouter, la comédienne lire les *Versets sataniques* de Salman Rushdie. Elle ravale son chagrin, renifle, arrache la feuille du chariot de la machine à écrire, se poste devant les verres alignés si parfaitement, les fait tomber un à un, de plus en plus violemment. Ils se brisent sur l'évier, dans un fracas métallique, aigu, qui effraie Julius. Le petit chat s'échappe en miaulant, part se réfugier dans la chambre, à la recherche d'une cachette qu'il ne trouve pas. Laure est derrière lui, calme et déterminée. Elle ferme soigneusement la porte de la chambre.

— Tu vas payer pour lui, dit-elle à voix haute.

Épilogue

Noël

(2006)

— Nous étions tous si jeunes, a-t-il murmuré.

Nous avions rendez-vous dans ce café de l'île Saint-Louis où dix-huit ans plus tôt, nous nous retrouvions entre les cours. Nathan avait changé, c'était désormais un petit homme sec au visage anguleux. Je devais avoir changé moi aussi, bien sûr, mais c'était impossible de savoir à quel point dans son regard fuyant.

Nous étions si heureux de parler d'autrefois que la nuit est tombée sans nous pousser dehors. Nous égrenions des noms, Willy Martinez, Laurent Delmas, Perrine Samazeuil, Marc Rudel... Ils nous avaient marqués, d'une façon ou d'une autre, et ils avaient presque tous disparu.

Il venait de m'apprendre que Perrine était morte d'une overdose. Je songeais à son beau visage, à la magnifique carrière qui lui tendait les bras, à la voie qu'elle avait choisie pour finir au tombeau à moins de trente ans.

— Tous les garçons étaient amoureux d'elle... Tu ne l'étais pas, toi ? ai-je demandé. Il a souri. Il tenait sa chope de bière comme si quelqu'un pouvait la lui dérober.

— Non, moi, j'aimais Mina… Mina Tanner… Tu t'en souviens ?

Non, je ne me la rappelais pas.

— Une fille effacée mais mignonne. Elle se prenait pour un personnage de Minnelli… Il a baissé les yeux, puis les a relevés vers moi. Ils étaient noyés de larmes. Il a sorti de sa poche un mouchoir pour s'essuyer le visage. C'était un mouchoir en tissu, un mouchoir à carreaux comme en avait mon grand-père. J'ai pensé : Voilà ce que Nathan Peuloux est devenu, un petit vieux de quarante ans. Il avait l'air de deviner mes pensées, il m'a souri en disant, j'ai horreur des trucs jetables… Et comme s'il voulait me prouver qu'en effet il ne jetait jamais rien, il a ouvert son portefeuille et en a extrait une photo en noir et blanc. On le voyait avec Mina, dans une pièce de Giraudoux qu'ils avaient jouée ensemble, *L'Apollon de Bellac*. Je n'en revenais pas.

— Bon dieu, Nathan, tu as gardé cette photo sur toi durant toutes ces années ?

— Oui, je ne la regarde pas souvent mais je la porte sur mon cœur… Tu te souviens d'elle maintenant ?

J'ai scruté le visage de Mina. Oui, je la reconnaissais bien sûr, elle s'était suicidée le 22 décembre 1988, le lendemain de la catastrophe aérienne de Lockerbie où Willy Martinez avait péri.

— Elle était raide dingue de Willy, tout le monde le savait, sauf Willy qui ne la voyait même pas… Tu te rends compte, ils n'ont pas eu le moindre embryon d'histoire ensemble, ces deux-là, mais ils sont morts quasiment le même jour.

Je revoyais Mina à présent, haute comme trois pommes et une chevelure abondante. Son corps avait été retrouvé dans la Seine le lendemain matin, mais rétrospectivement, l'attentat de Lockerbie avait pris toute la place dans nos mémoires. Seul Nathan se souvenait que ce jour-là, le lendemain de Lockerbie, il avait appelé Mina en vain toute la journée pour l'inviter à sa soirée. Il me racontait en riant qu'il avait organisé une fête en espérant pouvoir sortir avec elle, et que le matin même, quand il l'avait croisée quai d'Anjou, il avait été infoutu de l'inviter. Il s'était dit qu'il le ferait plus tard dans la journée. Il était sûr de la revoir mais il ne l'avait pas revue.

— Elle partait courir autour de l'île. Elle m'avait paru minuscule dans ses tennis rose bonbon. Une vraie miniature…

Il a repris son mouchoir et l'a passé de nouveau sur ses paupières.

— Ce sont juste mes yeux qui pleurent, tu sais. Après tant d'années, je n'ai plus de chagrin, je suis même plutôt content d'être sorti indemne de cette hécatombe.

Nous en étions là, nous comptions les morts comme des survivants qui ont fini de se sentir coupables. Le seul deuil que nous faisions encore était celui de notre jeunesse, et c'était bon de le faire ensemble.

— Mais pourquoi s'est-elle suicidée ? À cause de Willy ? ai-je demandé à Nathan.

Il a bu sa bière d'une traite et en a commandé une autre.

— C'est un mystère que j'ai renoncé à élucider. Elle était amoureuse de Willy mais elle ne pouvait pas savoir qu'il était mort quand elle s'est balancée dans la Seine. On l'a appris bien plus tard qu'il était dans l'avion de Lockerbie.

— C'était sur toutes les radios, sur toutes les télés...

— Oui mais personne ne savait que Willy avait pris cet avion de malheur, même pas sa mère qui croyait qu'il partait quelques jours plus tard. Il n'y avait que son père pour savoir, puisqu'il lui avait pris le billet, mais tu penses bien qu'il avait d'autres gens à prévenir avant nous.

— Mais alors, si Mina Tanner ne s'est pas tuée à cause de ça, pourquoi s'est-elle jetée à l'eau ?

— Je ne sais pas...

Il a porté le verre à ses lèvres en regardant le mur derrière moi. Doucement, son visage avait rajeuni. Je ne voyais plus un quadragénaire ratatiné mais le jeune homme qu'il avait été. Je ne voyais plus ses joues creuses ni ses yeux cernés mais les traits pleins de sa jeunesse.

Il a repris.

— Elle vivait avec un mec à l'époque, un type sympa avec qui elle partageait son loyer. Il s'appelait Damien. J'ai fait sa connaissance à son enterrement. Il m'a dit qu'elle semblait heureuse la veille. Il ne comprenait pas ce qui avait pu arriver. Elle venait de finir un salon de prêt-à-porter où elle avait gagné pas mal d'argent, elle préparait une scène pour l'école, elle allait bien. On a retrouvé le texte qu'elle était en train d'apprendre dans son sac. Elle n'avait pas sauté avec. Cela exclut qu'elle soit tombée par accident.

Nous avons continué à parler, Nathan et moi, jusqu'à la fermeture. Le serveur posait les chaises à l'envers sur les tables pour passer le balai. Le patron nettoyait la machine à café. Rien n'avait vraiment changé et pourtant j'avais du mal à retrouver l'atmosphère de l'époque.

— Tu travailles en ce moment ? ai-je demandé brusquement.

— Oui, je fais des trucs. Du doublage surtout. Et j'ai un projet de film que je suis en train d'écrire…

Je l'admirais d'avoir tenu bon, d'être resté comédien alors que ses chances de percer s'étaient amenuisées avec le temps. Mais il gardait foi en sa vocation, il continuait d'exercer son métier parce que, même s'il était un acteur de l'ombre, il aimait jouer, il n'avait jamais aimé que ça.

— Ce n'est pas grave, tu sais, de ne pas être une vedette, il y a tant de jolis rôles, même pour les soutiers… Et parfois, il faut du temps pour devenir l'acteur qu'on est.

Je songeais à Perrine que tout le monde, à l'époque, voyait en haut de l'affiche, et qui était sous la terre désormais.

— Et tes amours ? ai-je poursuivi.

— Je me suis marié avec une actrice qui a eu son heure de gloire, Marie Duchamp, ça te dit quelque chose ?

Non, cela ne me disait rien.

— On s'est séparés et puis on s'est remis ensemble… On a eu du mal à s'ajuster mais maintenant, je crois que c'est pour la vie… Et toi ?

J'ai marqué un temps. Par où commencer ? Avais-je fait tant de choses, vécu tant d'événements dignes d'être rapportés ?

— J'ai renoncé au théâtre, je n'étais pas faite pour ça, je tournais autour de ma vocation à l'époque… Je suis devenue écrivain mais ce n'était pas plus facile. Simplement, je sais que c'est ma voie, que quoi qu'il arrive, je suis faite pour écrire. J'ai publié trois romans il y a dix ans, mais je suis passée à côté du succès...

— Comment cela ?

— Je n'étais pas prête sans doute, je ne sais pas... J'ai connu une très brève célébrité parce que mon deuxième roman avait bien marché. Tellement bien que j'ai pensé, voilà, c'est arrivé, ce n'est que cela, le succès : du bruit, du ressassement, un engouement sans profondeur. J'ai fermé ma porte, mais comment te dire, insidieusement, sans même me le formuler comme ça. J'étais froide, je ne voulais pas me vendre, je ne jouais pas le jeu, et mon bouquin suivant s'est ramassé. Personne n'en a parlé, personne ne l'a acheté.

Nathan a commandé une nouvelle bière mais le patron lui a dit que maintenant il fermait. On a décidé de poursuivre la soirée ailleurs. Dans la nuit glaciale, on a traversé l'île Saint-Louis et rejoint le pont de la Tournelle. Il y avait un café ouvert sur le quai dans lequel on s'est engouffrés sans se soucier d'autre chose que de rester ensemble. Nathan a commandé un demi et j'ai décidé de boire du vin. Nos inhibitions étaient tombées depuis longtemps mais c'était autre chose qui nous submergeait, l'impression de partager le présent avec une acuité merveilleuse qui résultait de notre passé commun.

— Et l'amour ? m'a demandé Nathan.

— Des hauts et des bas, ai-je répondu. À l'époque, j'étais amoureuse de Laurent Delmas... Vous le regardiez comme une star mais il était plus effrayé qu'on ne le croyait. C'était un garçon adorable mais torturé. Il aimait le luxe, il pensait que la vie était facile, et il voulait que les gens soient heureux autour de lui... Sauf lui. Je l'ai découvert en vivant avec lui à la fin des années 80.

— C'est drôle, je lui voyais un destin tellement exceptionnel...

— Il travaillait un peu mais il voyait bien que les choses n'étaient pas si simples. Il s'était mis à boire aussi, et moi je l'accompagnais. Nous avions beau être encore jeunes, c'était foutu pour nous, nous avions laissé passer notre chance. Je l'ai quitté au bout d'un an pour un psychiatre qui m'a rendue folle...

Nathan a ri et j'ai ri avec lui.

— Et tu sais ce qu'il est devenu ?

— Laurent ? Oui, il est entré dans les ordres.

— Tu ne l'as jamais revu ?

— Nous nous sommes revus plusieurs fois quand il se préparait à être diacre, mais c'est comme si chaque fois, nous avions épuisé tout le crédit qui nous restait. On avait encore mille choses à se dire, on était proches, aimants, fraternels, mais nous avions loupé un virage et rien ne pouvait nous remettre sur une ligne commune... Je me rappelle qu'il avait gardé notre chat, un chaton qui en six mois était devenu énorme et amorphe. Je me demandais s'il était bien celui qu'il avait ramené si petit dans son caban. Quand j'allais le voir, Laurent répétait toujours : Tu as cessé de m'aimer le jour où Julius est arrivé à la maison. Je répondais faiblement : Oh il n'y est pour rien — mais j'avais cessé de vouloir le convaincre que j'avais fui pour sauver ma peau... J'ai appris il y a quelques années qu'il avait renoncé à ses vœux, qu'il mène une vie normale avec une femme et des enfants. En revanche, je ne sais pas ce qu'il fait. Ses parents avaient beaucoup d'argent mais il n'était pas du genre à attendre l'héritage en se roulant les pouces... Malgré sa réputation de cossard.

— Finalement, c'est drôle, ceux de notre promotion qui ont réussi ne sont pas ceux qu'on attendait.

— Ni les plus jolies pour ce qui concerne les filles. Dominique et Muriel, je n'en vois pas d'autres...

— Dominique était véritablement consacrée. Je l'ai revue il y a quelques années, elle était à une première, entourée de metteurs en scène prestigieux. Elle m'a à peine reconnu et m'a salué du bout des lèvres. J'ai essayé de lui parler mais je voyais bien qu'elle n'avait pas envie que je reste dans ses pattes. Quelques semaines plus tard, je suis de nouveau tombé sur elle. Elle était plus disponible, on a pu se parler. Elle a semblé compatir à ma situation, c'était tellement dur pour moi de décrocher ne serait-ce qu'un petit rôle. Elle m'a même promis de m'aider.

— Et elle l'a fait ?

— Pas vraiment, non. Elle était très liée à Patrice Chéreau qui cherchait des comédiens dans mon genre à un moment. Non seulement elle ne m'a pas présenté à lui, mais elle a tout fait pour que je n'aille pas au casting. Elle voulait se garder le grand homme pour elle toute seule. Je ne lui aurais rien pris pourtant, mais c'est égal, elle estimait que personne ne devait menacer son territoire...

Mon portable a sonné et j'ai regardé le nom s'afficher. C'était ma mère qui, malgré l'heure tardive, ne dormait pas. J'ai hésité à prendre l'appel mais j'ai appuyé sur la touche silence.

— Tu peux prendre, tu sais, m'a dit Nathan.

— Non, j'écouterai son message plus tard.

On avait vidé nos verres, et vu la rapidité de notre descente, on a commandé une bouteille. Le serveur nous a apporté un graves et des ballons plus gros que les précédents. Nous étions des clients inespérés.

— Je me suis souvent demandé si Mina se serait jetée à l'eau si je l'avais invitée à ma soirée, a dit Nathan quand le serveur est reparti. Cette idée m'a longtemps tourmenté... Peut-être que si elle avait eu rendez-vous, même avec moi dont elle n'avait rien à faire, elle aurait renoncé à mourir...

Je voyais bien qu'il ne s'était pas débarrassé de cette histoire. Qu'elle continuait de le préoccuper, moins parce qu'il avait été amoureux de Mina que parce qu'il se demandait dans quelle mesure il avait compté pour elle, et dans quelle mesure il aurait pu la sauver.

Il s'est mis à neiger, les flocons voletaient dans le ciel noir et nous rappelaient que c'était Noël.

— Tu as des enfants ? ai-je demandé.

— Oui, deux qui sont encore petits, sept et neuf ans... Ils attendent Noël comme le Messie !

Il n'avait pas de photographie d'eux dans son portefeuille, il admettait que ce fût étrange d'avoir celle de Mina Tanner et pas les leurs.

— Mais eux, ils sont en vie, je peux les voir tous les jours, a-t-il dit d'une voix enjouée. Nous avions vidé notre sac et l'heure avançait. Ce bar aussi était sur le point de fermer à présent. La bouteille rendait l'âme peu à peu et nos souvenirs s'engourdissaient. Je pensais aux enfants que je n'avais pas pris le temps de faire et que je ne ferais probablement plus. On me disait parfois que je m'étais privée d'une expérience extraordinaire mais je n'avais jamais entrevu la maternité sous cet angle. J'écrivais des livres qui n'intéressaient pas grand-monde, et c'étaient eux, mes enfants, des enfants pas très gaillards, sans doute, mais ils donnaient un sens à ma vie. Quand je lui en parlais, mon compagnon trouvait ma comparaison inepte. Il ne comprenait pas que j'accorde plus d'importance à du papier qu'à des gens, que je puisse renoncer à une soirée entre amis parce que je préférais écrire.

Le serveur est venu encaisser. Nathan a refusé de me laisser payer. Il m'a dit, ce sera ton tour la prochaine fois, mais je savais qu'il n'y aurait pas de prochaine fois, qu'on s'était tout dit et que le moment était arrivé de laisser le passé reposer.

Nous sommes sortis un peu ivres. Nathan m'a embrassée en me serrant contre lui. Je l'ai regardé s'éloigner, un corps frêle, un peu voûté sur lequel la neige dessinait un personnage plus vulnérable encore.

Lorsque je suis arrivée au métro, les grilles étaient fermées. J'ai décidé de rentrer à pied comme je l'avais fait tant de fois à l'époque, marchant la nuit dans une ville dont j'apprivoisais la dureté en me fondant dans ses artères. Rue de Poissy, j'ai écouté le message que m'avait laissé ma mère. Elle m'avait appelée plusieurs fois. Elle n'arrivait pas à articuler un mot, je l'entendais juste pleurer, et entre deux sanglots, elle balbutiait : Laure, ma chérie… J'ai compris que mon père s'était éteint. Il était très malade. Nous attendions sa mort depuis plusieurs semaines, oscillant entre le remords de cette attente et l'impatience d'en finir.

187

J'ai essayé de rappeler ma mère mais elle ne répondait plus. Je me suis adossée contre le capot d'une voiture et j'ai regardé le ciel. La longue silhouette de mon père m'est apparue. Il était jeune et se penchait au-dessus de moi. Il transvasait mon lait pour le refroidir, puis il beurrait mes tartines en faisant des petits carrés avec la pointe du couteau. Malgré la neige, je pouvais sentir son odeur tiède. Mon portable a sonné et ma mère a répété : Ma chérie ?

— Papa est mort ? ai-je demandé.

Elle a répondu : Il t'attend.

Je me suis remise en marche.